M le Mari

Marcela Iacub

M le Mari

Du même auteur :

Le crime était presque sexuel, et autres essais de casuistique juridique, *Epel, 2002 ; Flammarion, 2003*

Qu'avez-vous fait de la libération sexuelle ?, *Flammarion, 2002 ; Points, 2007*

Penser les droits de la naissance, *Presses universitaires de France, 2002*

Antimanuel d'éducation sexuelle, *en collaboration avec Patrice Maniglier, Bréal, 2005*

Bêtes et victimes, et autres chroniques de *Libération, Stock, 2005*

Aimer tue, *Stock, 2005*

Une journée dans la vie de Lionel Jospin, *Fayard, 2006*

Par le trou de la serrure – Une histoire de la pudeur publique du XIXe-XXIe siècle, *Fayard, 2008*

De la pornographie en Amérique – La liberté d'expression à l'âge de la démocratie délibérative, *Fayard, 2010*

Confessions d'une mangeuse de viande, *Fayard, 2011*

Une société de violeurs ?, *Fayard, 2012*

Belle et Bête, *Stock, 2013*

Jouir, obéir et autres activités vitales, *Stock, 2013*

Œdipe reine, *Stock, 2014*

118, avenue Achille-Peretti – CS70024
92521 Neuilly-sur-Seine Cedex
www.michel-lafon.com

I

Je crois qu'on s'est mariés un 2 juillet.

J'étais tout en noir et le costume du futur époux était trop large. J'avais l'allure d'une veuve et lui d'un singe déguisé en humain. « Mais il est où, l'heureux élu ? », nous demanda le maire qui avait pris le fiancé pour mon jeune frère ou pour mon secrétaire.

Pour se rattraper, il a fait un discours si spirituel que tout le monde a éclaté de rire. Qu'avait-il dit au juste ? Impossible de m'en souvenir.

Comme nos familles n'avaient pas été invitées, nous n'avions pas un centime pour la fête. On a servi des chips, du Coca light et un vin dégueulasse. Mais aucune femme n'a été aussi heureuse que je l'ai été ce jour-là. C'était un bonheur sans la moindre faille. Si la catastrophe à venir, nous l'avions mise en scène à la mairie, j'avais décidé de ne pas y penser. Pour une fois dans ma vie, je m'étais dit qu'il fallait me laisser emporter par ces instants de félicité. Car j'étais persuadée que je venais d'épouser l'être le plus précieux que l'univers ait jamais enfanté. Si mon pouvoir d'admirer était rare et s'il était toujours mêlé d'une certaine dose de cynisme, il n'avait pas la moindre limite envers lui.

Je sais qu'il y avait beaucoup d'égoïsme dans cette admiration que je lui portais. Car aux yeux de cet homme, j'étais plus que parfaite. J'étais l'incarnation d'une divinité antique que le monde entier était sommé de vénérer. C'est grâce à ces exagérations que j'avais réussi, sinon à m'aimer, tout au moins à amoindrir l'hostilité que j'avais toujours éprouvée envers ma propre personne. À me faire un peu confiance et à croire que ma vie avait une certaine valeur.

Le temps passant, je ne cessais de me réjouir de notre bonheur conjugal. Je me suis mise à douter de l'infaillibilité des signes annonciateurs du destin. Pourtant les lignes de fracture qui allaient faire couler ce beau mariage n'ont pas tardé à se dessiner.

J'avais toujours cru que j'étais vouée à être une universitaire inconnue du public et méprisée par ses pairs. Je m'estimais chanceuse d'avoir trouvé un poste à l'université, à peine avais-je fini ma thèse. Et ce, non parce que je croyais que mon travail était dépourvu d'intérêt : il était bizarre et comme décalé, comparé à celui de mes collègues. Je vivais dans la crainte qu'on me dise « vous êtes folle », « vous dites n'importe quoi ». Et cela arrivait parfois. C'est pourquoi je faisais des conférences en tremblant et en bafouillant. Or le premier livre que j'ai publié à la fin de notre deuxième année de mariage a eu un succès qui a dépassé toutes mes espérances. Certes, le grand public ne me connaissait pas – et je savais qu'il en serait toujours ainsi – mais j'avais séduit les quelques milliers de personnes qui plébiscitent les grandes tendances de la pensée. Et cette petite gloire que je ne croyais pas mériter n'allait cesser de grandir.

En revanche – et presque en même temps – la carrière de mon mari s'est écroulée. Tout s'est joué au moment de sa thèse. Quelques déconvenues avec ses professeurs et aussi dans les procédures de recrutement universitaire l'ont anéanti. Mais ces détails ne l'auraient pas tant ébranlé s'il n'avait pas compris que le problème était plus grave : il manquait autant de génie que de chance. Il avait du talent, certes. Il était ce qu'on appelle *un homme intelligent*. Il était très cultivé et très éloquent. Mais être un génie, c'est autre chose. Or depuis sa naissance mon mari était persuadé qu'il en était un. Quand il était enfant, il voyait son nom gravé dans le bronze et dans le marbre. Il avait vécu chaque étape de son existence en croyant traverser un chemin sur lequel ses biographes et ses héritiers intellectuels n'arrêteraient jamais de revenir. Alors qu'en vérité, s'il ne changeait pas de métier, il serait condamné jusqu'à sa retraite – et même au-delà – à ajouter de nouvelles pages à l'interminable Livre de l'Ennui. Il lui aurait fallu faire preuve de courage pour assumer sa méprise. Mais cette qualité lui était aussi étrangère que le génie. Et puisqu'il n'était point question de se raviser, mais de se punir pour ne pas être à la hauteur de son idéal, il a su que son humiliation, loin d'être passagère, allait durer. Et moi, j'étais si éblouie par mon succès que sur le coup, je ne me suis pas rendu compte de l'amère découverte que mon mari venait de faire.

En juillet, quelques semaines avant de sombrer dans sa longue nuit, il a mis toutes ses économies dans une bague en diamant pour notre anniversaire de mariage. Une façon de me promettre que son amour serait éternel. Voulait-il forcer les voies inexorables du destin ? Jamais je ne le saurai. Mais ce cadeau a été aussi bien l'apothéose de notre bonheur conjugal que le début de sa fin.

En décembre de cette même année, mon père est mort. Une sordide affaire d'héritage m'a brouillée avec ma mère et mes deux frères. Cette séparation, je l'ai su dès le début, était définitive. Car ce conflit n'a été qu'un prétexte pour officialiser la haine qu'ils avaient toujours éprouvée envers moi, et que mon père avait réussi à contrer. Une haine féroce que, de mon côté, je m'étais efforcée d'ignorer parce que moi, bêtement, je les aimais. C'est ainsi que du jour au lendemain j'ai perdu les liens les plus forts qui m'unissaient aux autres. Mon enfance, ma jeunesse et tout ce que j'avais vécu jusqu'alors me sont devenus étrangers. La fille de mon père était morte en même temps que lui. C'était beaucoup plus grave que de rester seule. J'avais disparu sans cadavre ni sépulture. Car pouvons-nous nous vanter d'exister lorsque les êtres proches, au lieu de nous aimer, nous signifient que nous sommes morts pour eux ? C'est ainsi que mon mari est devenu le centre du monde. Il était mon parent, mon ami, mon amant et mon bouclier. Il m'était devenu impossible, voire impensable, de douter de son amour.

Pourtant, quelques semaines avant la mort de mon père, il m'avait jeté un premier regard de haine. Cet épisode s'est répété à quelques reprises pendant ma période de deuil. Cela me glaçait le sang, mais je faisais des efforts pour oublier. Quand je n'y arrivais pas, j'attribuais son hostilité à sa malchance professionnelle. Je me disais : « Il m'aime toujours, mais il est trop malheureux pour l'exprimer. » Je ne savais que faire pour le consoler et ne cessais de me répandre sur l'infamie d'un système qui ne lui accordait ni la place ni la reconnaissance qu'il méritait.

Lui, me laissait clamer ces mensonges sans trop s'en émouvoir. Je suis sûre maintenant qu'il me reprochait l'ennui que j'éprouvais en le lisant. Comme si la lassitude que me provoquaient ses textes avait pour cause mon manque d'intérêt pour sa personne. Au fond, il m'en voulait de ne pas l'aimer assez pour trouver amusant ce qui ne l'était point. Voilà ce que d'autres femmes, moins instruites ou plus soumises que je ne l'étais, lui auraient procuré. Ou peut-être me reprochait-il d'être une lectrice suffisamment avertie pour que mon ennui représente celui du public qui compte.

Avec le recul, je crois qu'il devait lui sembler étrange que je dise que lui était génial, mais pas ses textes. Pourtant, j'attendais de tout mon cœur que les écrits ressemblent à l'idée que je me faisais de ses capacités. Mais à l'époque je ne savais rien ou presque de son vice. Je croyais qu'il travaillait. J'étais au courant de ses difficultés mais j'étais persuadée qu'il essayait. Et jamais je n'avais tenté de savoir comment il remplissait les heures pendant lesquelles il n'était pas avec moi. Je me fiais à l'idée que je me faisais de ses projets et de ses désirs. J'étais persuadée que la seule chose qui comptait véritablement dans sa vie était de construire une œuvre. N'était-ce pas cet idéal commun qui nous avait soudés et qui nous avait persuadés de ne pas procréer ? Au lieu de nous remplir de bébés monstrueux qui deviendraient des adolescents cruels, nous écririons des livres qui nous survivraient.

C'est bien plus tard que j'ai compris que mon ignorance venait en partie d'un système de cachotteries bien huilé. Mon mari avait créé une barrière étanche pour séparer sa vie à lui de la nôtre. S'il pouvait avoir accès à tous les renseignements me concernant, j'en avais de moins en moins à son propos. Chaque fois que je prenais conscience de cela, une sorte de peine s'emparait de moi. Je me disais : « Le pauvre veut compenser ses échecs par le sentiment d'avoir une petite vie à lui. » Le jour où j'ai vu les choses ainsi, notre histoire était morte. Voilà ce que je sais maintenant. Or à l'époque, j'avais mis toute mon énergie à me convaincre qu'elle respirait encore.

Grâce à l'héritage de mon père, notre niveau de vie s'est beaucoup amélioré. Nous avions déménagé dans un grand appartement situé boulevard Magenta, près de la place de la République. Nous voyions beaucoup de monde et nous nous amusions. Nous avions de longues conversations philosophiques et nous riions aux éclats. C'étaient les seuls moments de joie qui me rappelaient nos bonheurs d'autrefois. Mais cela ne durait pas. Dès que nous étions contents, il me reprochait ma chance et mes privilèges. Puisque j'incarnais l'ensemble des injustices qui lui étaient faites, être heureux avec moi était à ses yeux une sorte de trahison envers lui-même. Et sa mère, loin de chercher à l'en dissuader, abondait dans son sens. Si son fils n'était pas encore devenu aussi célèbre que Platon, c'est parce qu'il s'occupait trop de moi. C'est ainsi qu'un jour j'ai décidé de ne plus la voir.

Je savais que mon mari attendait désespérément que je renonce à mon travail, à mes livres. Que ma solidarité envers lui s'exprime par l'abandon de tout ce que j'avais et que lui était incapable d'atteindre à son tour. Je sentais qu'il me suppliait de lui donner des raisons de cesser de me haïr. Or jamais je n'ai songé à lui concéder cela et il le savait. Car écrire était ma vie.

C'est pourquoi il me reprochait de ne pas l'aimer, d'être égoïste et de ne penser qu'à ma propre personne. Et moi j'y adhérais car, comme tous les névrosés, j'ai toujours su endosser la responsabilité des fautes que je n'avais pas commises. Pourtant la culpabilité dont il m'affublait ne m'empêchait pas d'aller bien. En dépit de son hostilité j'avais réussi, grâce à l'écriture et aux mensonges que je me racontais à propos de notre mariage, à jouir d'un équilibre incontestable. J'étais persuadée que je n'avais pas, ou plus dans mon cerveau cette chose que l'on appelle le « moi », le psychisme, l'intériorité qui fait tant souffrir l'humanité. Ou plutôt qu'elle ne se manifestait que dans mes textes.

Cette paix truquée dans laquelle j'aurais pu rester incrustée jusqu'à ma mort s'est terminée à la fin de notre septième année de mariage. En mai, mon mari a trouvé un poste à l'université. Ce n'était pas à Paris comme il l'aurait souhaité, mais à Amsterdam. Mais il avait enfin un emploi stable. De plus, grâce au Thalys, les Pays-Bas étaient si près que l'on pourrait mener une vie absolument « normale », disait-il. Sans compter qu'il n'aurait plus à dépendre de ma générosité. Il allait toucher un bon salaire, même si une partie allait devoir couvrir les dépenses de transport et de logement. Il était un peu moins triste, moins fuyant, plus direct.

Certes, il continuait de se plaindre de son sort. Alors que d'autres – dont moi et quelques-uns de ses amis – avaient des postes à Paris, lui devait voyager chaque semaine et donner des cours en anglais, *s'expatrier*. Mais s'il ne cessait de faire ces petites remarques, il convenait que sa situation était incomparablement supérieure à celle qu'il avait connue jusqu'alors. Et grâce à ce poste, il avait des prétextes pour ne pas écrire. Car pour cela il fallait du temps et lui, contrairement à moi qui n'étais pas obligée de me déplacer chaque semaine à l'étranger, n'en avait pas. En bref, il continuerait en toute bonne conscience à échafauder des projets qui resteraient inachevés.

Au moment de sa nomination il tentait d'écrire un petit livre sur le film d'Alfred Hitchcock, *La Corde*. En juin, il m'a annoncé qu'il allait le finir cet été-là. Puisqu'il était désormais rassuré sur son avenir, il allait passer quelques semaines à Antibes, chez sa mère, pour donner en septembre le manuscrit à un éditeur. Mais chaque été il disait la même chose et rentrait bronzé, sans manuscrit terminé. Or désormais il serait obligé de tenir ses promesses, disait-il. À partir du mois d'octobre, sa charge de cours ne lui laisserait pas le moindre répit. Écrire deviendrait impossible. Comme j'ai voulu l'aider, j'ai visionné le film avec lui à maintes reprises jusqu'à l'apprendre par cœur.

Sortie en 1948, *La Corde* s'inspire d'une histoire vraie qui a eu lieu à Chicago dans les années 1920. Deux jeunes hommes riches et brillants – interprétés par Farley Granger et John Dall – séquestrent et étranglent avec une corde l'un de leurs camarades qu'ils placent dans un coffre dans leur salon. Aussitôt ils préparent leur appartement pour recevoir des invités. Entre autres, les parents et la fiancée de la victime ainsi qu'un ancien professeur

– interprété par James Stewart – qu'ils admirent. Le coffre dans lequel gît le cadavre sert de table pour la petite fête. Lorsque les parents du mort s'en vont, le couple d'assassins leur donne quelques livres attachés avec la corde dont ils se sont servis pour étrangler leur fils. Or leur ancien professeur les démasque. Ils avouent avoir commis ce crime parce que les êtres supérieurs ont le droit de tuer les inférieurs. Dans la dernière scène, alors que la police est sur le point d'arriver, James Stewart fait un brillant plaidoyer contre cette théorie affreuse.

C'est ainsi que le meurtre a fait irruption dans ma vie. Mais pendant ces derniers jours de mai, je le contemplais de très loin, comme un animal sauvage enfermé dans une cage. Et moi, placée à l'extérieur, j'étais dans un monde complètement différent de celui de la bête.

II

En juin, une série d'événements curieux m'a annoncé que la petite vie à laquelle je tenais tant touchait à sa fin. Le premier a été un détail aux allures insignifiantes.

Un soir, alors qu'on dînait avec des amis dans un restaurant italien du boulevard Magenta, mon mari a déclaré :

– Le sexe est la pire tragédie de l'existence humaine.

Sur le moment, je n'ai pas donné d'importance à cette remarque. Avec le recul, je pense que c'est parce qu'il l'avait faite en public et que mon mari aimait se mettre en scène pour impressionner son auditoire, quitte à se montrer paradoxal. C'est pourquoi je n'ai pas réagi sur le coup. Il n'empêche que je ne cessais d'y penser. Autant à ses paroles qu'au ton désespéré qu'il avait pris pour les prononcer.

Quelques jours plus tard, j'ai osé, avec le plus grand des embarras, lui demander pourquoi il avait dit une chose pareille.

– Selon Freud, répondit-il avec une espèce d'assurance que lui était coutumière, celui qui serait capable de libérer l'humanité du sexe sera reçu en sauveur. Voilà à quoi je pensais.

– Je trouve cette idée absurde, balbutiai-je d'une voix étranglée.

– Parce que toi, tu ne comprends rien au sexe, répliqua-t-il avec mépris.

Au lieu de m'aventurer dans une conversation que je redoutais, j'ai préféré retourner dans mon bureau. Une autre que moi aurait sans doute pleuré, ou bien imaginé que son mari la trompait. Tandis que moi je suis allée m'asseoir devant mon ordinateur après avoir chassé cet épisode de mon esprit.

Pourtant, ce n'est pas *aveuglément* que j'ai fait un tel choix. Depuis quelques années, mon mari avait exprimé à plusieurs reprises une sorte d'hostilité farouche envers les personnes qui trompaient leur partenaire. Il m'était parfois arrivé de trouver ses réactions exagérées. Mais il en était ainsi pour d'autres questions. Il y mettait tant de passion qu'il frôlait souvent l'excès, voire l'impolitesse vis-à-vis de ses interlocuteurs. En bref, il m'était impossible de penser que l'expression « le sexe est la pire tragédie de l'existence humaine » était liée à des expériences douloureuses qu'il aurait vécues depuis qu'on était ensemble.

Le deuxième événement est un fait peu banal dont nous avons pris connaissance quelques jours après cette conversation. Au marché Saint-Martin – qui se trouvait à deux cents mètres de chez nous et où je faisais mes courses –, un charcutier avait commis un meurtre barbare. Trois mois plus tôt il avait assassiné sa maîtresse, l'enfant de deux ans de la jeune femme et leur chien. Il avait découpé les cadavres et les avait mis dans des sacs en plastique qu'il avait éparpillés dans les poubelles du quartier. L'assassin – marié et père de deux enfants adultes – avait agi par dépit amoureux : la jolie blonde l'avait quitté pour un autre. La police venait de découvrir le crime, ce qui signifiait que le charcutier avait continué à nous vendre ses délices alors qu'il cachait cet horrible secret depuis des mois. C'est pourquoi nous nous demandions si nous n'avions pas mangé des morceaux de corps humains et canins dépecés par l'horrible criminel.

J'ai appris aussi que l'épouse du charcutier, loin de le condamner, le soutenait moralement et matériellement. Cette réaction m'a paru à tel point incompréhensible qu'elle a pris le pas sur l'horreur du crime.

Au cours d'une soirée que nous avions organisée avec quelques amis, j'ai évoqué l'attitude de cette femme devant mon petit auditoire.

– Comment peut-on aimer un homme qui a commis un acte aussi abject ?

Quelqu'un – je crois que c'était un ancien camarade de mon mari, mais je n'en suis pas sûre – a cité en guise de réponse une phrase de Graham Greene qui est restée gravée dans ma mémoire : « La vérité ne change pas un homme. » Il voulait dire que pour l'épouse, le fait de savoir que le charcutier avait commis l'innommable ne le changeait guère. Le monstre était toujours le mari qu'elle aimait.

– Mais bien sûr que la vérité change un homme ! protestai-je. Elle nous montre que celui que nous aimions n'existait pas. Qu'il n'était qu'une illusion et un mensonge. Sauf quand la vérité en question ne nous choque pas. La femme du charcutier a justement cela de méprisable. Son attitude signifie que non seulement elle n'est pas choquée par les actes abominables de son mari, mais qu'elle les approuve.

– Tu ne comprends pas que, hormis toi, les femmes sont complètement immorales ? s'exclama mon mari avec ironie. Il est évident qu'elle était heureuse que le charcutier se soit enfin débarrassé de sa rivale.

J'ai été étonnée et même blessée par cette remarque. Mais nos invités l'ont trouvée terriblement drôle.

C'est le troisième événement qui a creusé un véritable trou dans la trame de notre vie. Avec tous les efforts que j'ai faits depuis pour reconstituer la chronologie de cette tragédie, je suis certaine que c'était le mardi 9 juillet. Mon mari était parti depuis trois jours et moi j'étais plongée dans la lecture d'un essai intitulé *Pourquoi nous aimons les tueurs en série ?* de Scott Bonn. Il m'a téléphoné vers 11 heures pour me demander un service.

– Va dans mon bureau, s'il te plaît, et regarde la date de mon départ à Amsterdam. Le billet se trouve à côté de l'ordinateur.

J'étais censée exécuter cette tâche pendant qu'il discutait avec moi sur son portable. J'ai pénétré dans son bureau, lieu qui m'était d'ordinaire plus ou moins interdit, et je me suis mise à chercher. Au lieu du billet, j'ai trouvé la photo d'une grande fille blonde que je croyais avoir déjà vue. Mais il m'était impossible de dire où, ou quand. Cela ne m'a pas empêchée de continuer à chercher le billet. Après l'avoir trouvé, je lui ai demandé qui était cette fille.

– C'est Catherine. Elle ne cesse de me harceler avec ses photos et ses lettres ridicules.

Il m'avait parlé à plusieurs reprises de cette femme qui avait été sa première petite amie. Bien que mariée depuis des années, elle lui écrivait des mails et des lettres sans arrêt. Je ne l'avais jamais rencontrée. Et j'étais certaine que mon mari ne m'avait montré aucune photo d'elle, même de l'époque où ils étaient ensemble. Catherine et son amour pathétique pour mon mari m'avaient toujours agacée. J'ai donc arrêté là mon enquête.

Pourtant, avant même de raccrocher, et sans que rien de la brève conversation qui a suivi ne le justifie, j'ai pressenti que le fil invisible qui nous unissait s'était brisé. J'ai été prise d'une tristesse si profonde que je me suis assise sur le fauteuil du salon, de peur de m'écrouler. Mais la raison a pris le dessus sur l'intuition. J'étais *chez nous*. Tout avait l'air de continuer. Et je suis allée sur le balcon pour voir si le ciel n'avait pas quelque chose à me chuchoter qui contredirait les apparences de cette normalité que l'appartement et tout ce qu'il contenait dégageaient. Mais il était silencieux.

Ce n'était pourtant pas dans le ciel qu'il m'aurait fallu regarder, mais dans mes souvenirs les plus récents. Mais qui ignore que le désir de ne pas savoir nous rend parfois aussi amnésiques que les victimes de traumatismes de guerre ou de grands accidents ?

III

Trois jours avant cet incident, et alors que mon mari s'apprêtait à partir pour Antibes, j'ai lu dans *Libération* que notre quartier avait été le scénario d'un nouveau meurtre une semaine plus tôt. La victime, Jennifer Rodriguez, était une jeune femme aux cheveux blonds, comme la maîtresse du charcutier. Le journal avait publié sa photo. Selon la police, c'était vraisemblablement le cinquième meurtre d'un tueur en série. On parlait du même « mode opératoire » et de la « signature » d'un horrible individu surnommé *le tueur de La Vieille Lune*.

Je ne m'étais jamais intéressée aux criminels en série. Je trouvais ces histoires aussi horribles qu'ennuyeuses. À la différence des meurtres entre proches qui m'avaient toujours fascinée, elles mettaient en scène une pulsion répétitive qui dépersonnalisait les victimes. Alors que dans les crimes ordinaires les tueurs s'acharnent sur quelqu'un en particulier – pour se venger, voler –, le tueur en série a toujours un mobile sexuel. Et moi, je refusais de concevoir que l'on puisse assassiner pour cela. À la différence de tant de mes contemporains, je n'ai jamais voulu voir le côté sombre de la libération des mœurs. J'étais persuadée au contraire que les problèmes auxquels on se heurtait étaient liés au fait que cette révolution n'était pas allée assez loin. Qu'elle était restée à mi-chemin et que notre société ne songeait qu'à une chose : la noyer pour rétablir, avec des méthodes nouvelles, l'ancienne condamnation chrétienne du sexe. Je savais pourtant que depuis le début des années 1970, époque pendant laquelle la population occidentale avait été sommée de jouir sans entraves, il y avait eu une véritable explosion des crimes sexuels, aussi bien aux États-Unis qu'en Europe. Comme si ces tueurs s'étaient sentis eux aussi invités à se libérer de leurs inhibitions. Mais je refusais de tirer la moindre conclusion de ces faits avérés. Cela m'aurait obligée à admettre qu'il y avait une continuité entre la sexualité de ces assassins et celle des gens normaux. Que toute expérience sexuelle avait une parenté proche ou lointaine avec celle des criminels en série. Si je l'avais fait, comment aurais-je pu continuer à prêcher la libération de cette chose-là sans que mes mains ne tremblent ?

Certes, pour ma consolation, même les personnes qui ne partageaient pas mes opinions libertaires tombaient dans les mêmes travers que moi. Elles refusaient et refusent toujours d'ailleurs de considérer les violences – et non seulement celles des tueurs en série, mais aussi celles des simples violeurs – comme relevant du sexe. Comme si chacun à sa manière avait cherché à séparer cette activité de sa part d'ombre.

Voilà pourquoi jamais je n'aurais prêté la moindre attention au tueur de La Vieille Lune s'il n'avait pas assassiné une jeune femme qui habitait à quelques rues de chez moi, trois semaines après la découverte du crime du charcutier du marché Saint-Martin. De fait, je ne savais même pas qu'il y avait à Paris un tueur en série qui avait commis quatre meurtres en l'espace de trois ans.

Pendant que mon mari préparait ses valises, je lui ai parlé de l'assassinat de Jennifer Rodriguez.

– Notre quartier devient aussi dangereux que la bande de Gaza ou l'Irak, me dit-il en riant.

Et moi j'ai ri avec lui.

Au moment de son départ, j'ai encore ressenti qu'il ne m'aimait plus. Mais c'était toujours ainsi quand il s'en allait chez sa mère. C'est pourquoi j'ai décidé de ne pas y penser et de me distraire en cherchant des informations sur l'abominable tueur de La Vieille Lune. C'est alors que j'ai trouvé dans ma bibliothèque le livre de Scott Donn sur les criminels en série.

Je dis bien « me distraire en cherchant des informations ». Car à cette époque-là, et sans doute à cause de mes problèmes conjugaux, il m'était très difficile de ne pas m'ennuyer quand je ne donnais pas de cours et n'étais pas en train de préparer un livre, comme c'était le cas en ce début du mois de juillet. Et chez moi l'ennui se traduisait par un désespoir si profond que mon esprit devenait une blessure douloureuse.

C'est ainsi que, dès le départ de mon époux, je me suis collée à mon ordinateur. J'ai aussi commandé quelques livres sur Amazon pour approfondir mes connaissances sur les criminels en série. Certes, je ne cherchais d'aucune manière à démasquer ce redoutable individu. Je n'avais ni les moyens ni l'envie ni les compétences requises. Je lisais et je tissais des hypothèses pour m'amuser, pour me divertir, pour ne pas penser à ma vie.

Vue de l'extérieur, ma frénésie aurait pu sembler ridicule ou exagérée. Mais que n'aurais-je fait à cette époque pour supporter les jours impies pendant lesquels mon esprit chômait ?

IV

C'est le tueur de La Vieille Lune qui s'était baptisé ainsi dans une lettre qu'il avait envoyée à la police quelques jours après son premier double meurtre. Il avait assassiné deux sœurs polonaises qui faisaient le ménage dans un restaurant situé à cent mètres de la gare de Lyon et dont le nom était *La Vieille Lune*. Comme la police avait arrêté quelques jours plus tard un innocent, il avait envoyé une lettre pour s'attribuer ce crime affreux. Afin qu'on ne le prenne pas pour un imposteur, il avait donné des détails de la scène de crime que seul le tueur ou les enquêteurs pouvaient connaître. Et avant de la signer, il avait écrit :

« Je les ai tuées parce que vivre est un mal. C'est un secret de tous connu. »

Par la suite, il avait envoyé presque trente lettres à la police. Il y avait des poèmes, des devinettes, des menaces, des déclarations de personnalité. Mais la police n'a autorisé la diffusion d'aucun de ces documents et elle a regretté que la presse ait divulgué autant d'informations sur la première lettre. On disait aussi qu'il avait envoyé des photos des cadavres.

Les autres meurtres, il les avait commis au domicile de ses victimes. La police avait plus ou moins imaginé le scénario. Il sonnait sous un prétexte quelconque, il rentrait de force, il menaçait la femme avec une arme – on ignorait si c'était un couteau ou un revolver. Il l'obligeait à se déshabiller et à s'allonger sur le lit. Les autres faits étaient avérés. Le tueur de La Vieille Lune ne violait pas ses victimes. Il les étranglait lentement avec un ruban rose. Ce dernier était d'une matière différente à chaque meurtre. Tantôt c'était un ruban pour papier cadeau, tantôt il était en tissu ou en plastique. Seule la longueur et la couleur ne variaient pas. Ensuite il se masturbait devant le cadavre. C'était le signe le plus clair de sa forfanterie. Car oser laisser son sperme sur la scène de crime alors que les techniques d'identification de l'ADN sont si efficaces était une manière de dire à la police : « Je suis un citoyen insoupçonnable. Vous ne pourrez pas faire faire un test à tous les Parisiens. Je vous emmerde, vous et votre ADN. » Et avant de quitter le domicile de ses victimes, cet orgueilleux dessinait sur leur ventre, avec un feutre rouge, ces trois initiales : TVL.

L'ensemble de ces excentricités faisait penser aux enquêteurs que le tueur de La Vieille Lune était différent des autres criminels en série français. À l'instar de certains tueurs américains, il avait l'air d'agir plus par vanité que pour l'excitation sexuelle que lui procurait son assassinat. Comme si son but principal était de se vanter auprès de la police et du public de son intelligence et de son talent. Voilà la conclusion que peut tirer une institution qui, au lieu de penser, se contente de rabâcher paresseusement des préjugés. Aussi bien aux États-Unis qu'en Europe, la prétendue sagacité des criminels en série est le reflet de l'étroitesse d'esprit des policiers.

Alors que moi, j'étais arrivée à d'autres conclusions concernant les mobiles et la personnalité du tueur au ruban rose. Les deux petites phrases qu'il avait écrites dans sa première lettre – « Je les ai tuées parce que vivre est un mal. C'est un secret de tous connu. » – m'avaient conduite sur ces nouvelles pistes. Si l'on enlevait « je les ai tuées parce que », on trouvait les célèbres vers de Baudelaire dans *Semper Eadem*, l'un des poèmes des *Fleurs du Mal* : « Vivre est un mal. C'est un secret de tous connu. » J'étais persuadée que c'était en citant ces vers qu'il en avait dit le plus sur lui-même.

Et que disait-il ? Que loin de se mettre du côté du diable ou de quelque autre force obscure comme l'avaient fait de célèbres tueurs en série américains, lui était un chevalier du bien, de la charité. Il tuait parce que *vivre est un mal*. Et que, d'ailleurs, tout le monde connaissait ce « secret ». L'activité de la police consistant à persécuter les tueurs était néfaste à double titre. Elle empêchait qu'un bien, le meurtre, soit commis. Ensuite, elle ne permettait pas que l'idée selon laquelle vivre est un mal soit enfin *assumée*. C'est donc à cause de la police que la population continuait à nourrir sa méprise. Qu'elle pensait que vivre était merveilleux. Alors que sans l'entremise des forces de l'ordre et de la justice, les êtres humains ne songeraient qu'à une chose : se suicider.

Mais comment pouvait-on interpréter cette mise en scène que le tueur avait faite de lui-même ?

Il m'a semblé évident qu'il voulait se moquer des tueurs en série américains – censés, surtout dans les films hollywoodiens, défier la police. Cette espèce de chauvinisme m'a paru crucial. Charles Baudelaire est le seul poète à avoir esthétisé la sexualité des tueurs en série, à avoir mis l'accent sur « la beauté fatale » et « l'amour ténébreux ». Le seul à s'être donné pour objectif artistique d'extraire « la beauté du mal ». Oui, le tueur de La Vieille Lune voulait revendiquer la capacité incomparable de la France – dont la richesse artistique et théorique en matière sexuelle est parfois oubliée – à célébrer mieux que n'importe quelle nation de la Terre les noces entre le sexe et la mort. Quel autre pays du monde compte, dans son patrimoine artistique et philosophique, des auteurs comme le marquis de Sade, Charles Fourier, Baudelaire ? Et j'imaginais qu'il devait être en colère que ce soient les Américains qui, avec leur puritanisme ridicule, soient les champions internationaux des tueurs en série.

Cet aspect de sa démarche m'a paru très sophistiqué. Qui d'autre qu'un intellectuel pouvait l'avoir conçue ? Et pas n'importe lequel, pensai-je. Il devait s'agir de quelqu'un qui se sentait injustement traité par le système intellectuel et qui cherchait à être reconnu à sa juste valeur. Et probablement le nom qu'il s'était donné n'avait-il pas surgi dans son esprit à cause du restaurant dans lequel il avait tué ses deux premières victimes. Peut-être avait-il choisi de tuer deux femmes dans ce restaurant-là pour pouvoir se baptiser ainsi. Car l'expression « une vieille lune » fait allusion à une idée conçue il y a très longtemps, qui revient dans le présent sans la moindre chance d'être acceptée. Ne revendiquait-il pas ainsi le droit d'exister pour ce qui était raté, révolu, perdu, sans espoir, c'est-à-dire son œuvre ?

En bref, j'ai cru qu'il disait plus ou moins ceci : « Je suis un intellectuel raté. Voilà pourquoi je suis devenu un tueur en série. » Cela le rendait plus méprisable que s'il avait été un pervers aux pulsions meurtrières incontrôlables, certes. Mais comme j'évoluais dans un milieu d'universitaires, d'intellectuels, de journalistes et d'artistes qui étaient obsédés par leur ego, par leur réussite, par la reconnaissance du monde envers leur génie, le tueur de La Vieille Lune m'a paru tout à la fois un monstre et un prochain. Et je me suis demandé si ces gens que je connaissais si bien auraient hésité à agir comme lui s'ils avaient cru que par cette voie ils pouvaient obtenir les récompenses narcissiques qu'ils attendaient.

Et au fur et à mesure que je réfléchissais, il me semblait évident que la référence à Baudelaire était beaucoup plus qu'une manie nationaliste. Le poète maudit était la clé de toute la démarche criminelle du tueur de La Vieille Lune. Il pouvait expliquer notamment son mode opératoire.

« Une Martyre », l'un des poèmes des *Fleurs du Mal*, m'est apparu fondamental pour éclaircir ce premier point, notamment ces vers :

« L'homme vindicatif que tu n'as pas pu, vivante
Malgré tant d'amour, assouvir,
Combla-t-il sur ta chair inerte et complaisante
L'immensité de son désir ? »

Le tueur de La Vieille Lune cherchait la passivité totale et absolue des femmes. C'est pourquoi il les tuait. Puisqu'elles seront mortes, elles ne diront non à rien, elles ne partiront jamais. Elles se donneront à lui sans sourciller, sans y mettre la moindre limite. Il pourrait dire à chacune de ses malheureuses victimes : « Tu es à moi. »

Il était donc évident qu'il avait une peur folle d'être abandonné. Qu'il ne supportait pas de courir le risque d'une telle frustration. Voilà ce qu'il n'avait cessé de mettre en scène dans ses meurtres. J'en ai conclu qu'il devait avoir été quitté par une femme qu'il aimait. Cela devait avoir été pour lui terriblement traumatisant, au point de le faire basculer dans le crime.

Selon les criminologues, c'est toujours un événement stressant qui transforme un homme normal en un tueur en série. Cela peut être une rupture sentimentale, un licenciement, la mort de quelqu'un. Quand une tragédie de ce type survient dans une vie, l'individu qui en est victime se sent détaché de la société. Il est persuadé qu'il a été trahi, mal aimé, insulté, humilié non seulement par une personne ou par le destin, mais aussi par la société dans sa totalité. Il a le sentiment qu'il ne peut rien attendre d'elle et de ce fait qu'il ne lui doit plus rien. Car pour continuer à respecter les normes de la société, il faut que cette dernière nous montre un peu d'amour. C'est cela qui donne un sens à notre existence… Autrement, « vivre est mal » et l'on a envie de saboter les efforts de tous, de couper la tête de cette société si cruelle, de tuer et de mourir pour qu'elle paye.

La victime du tueur en série se transforme ainsi en l'expression charnelle et émotionnelle de la société. Il essaie de nous faire comprendre qu'il ne peut rien faire avec ses semblables, à part jouir en les détruisant. En les traitant de la même manière qu'il croit avoir été traité.

Mais pour transformer un honnête citoyen en monstre, l'événement stressant doit avoir une force toute particulière. Non seulement il le brime dans la vie amoureuse, familiale ou professionnelle, mais dans tous ces cadres à la fois. J'en ai conclu que le tueur de La Vieille Lune s'était fait quitter par une femme qui représentait pour lui beaucoup plus qu'une liaison amoureuse ou sexuelle. J'ai pensé qu'il avait octroyé à cette personne le pouvoir de lui dire qui il était et ce qu'il valait aussi bien en tant qu'homme qu'en tant qu'intellectuel. Cela pouvait expliquer que dans sa démarche criminelle, le tueur ait associé le fait de l'avoir perdue et celui de ne pas avoir été reconnu dans son travail.

Pour finir mon profilage du tueur de La Vieille Lune, il me restait à me pencher sur une question essentielle. Quelle était la reconnaissance qu'il attendait ? Et d'abord, en quoi consistait son « œuvre » ?

Il était évident que, outre sa production ratée et secrète – dont j'ignorais la teneur et la portée –, il y en avait une autre : celle constituée par les nombreuses lettres qu'il envoyait à la police. C'est de cette dernière et non de la première qu'il attendait de tirer gloire et célébrité. Et qu'est-ce que cette œuvre avait de si particulier pour qu'il soit si sûr de son coup ? C'est en cela que la référence à Baudelaire était importante aussi. Car que faisait-il d'autre, dans ses lettres, que de réaliser le programme du poète consistant à extraire la beauté du mal ? Ne fabriquait-il pas des phrases avec le sang et la douleur de ses victimes ? Si Baudelaire l'avait déclamé, le tueur de La Vieille Lune l'avait véritablement mis en œuvre.

En effet, ses lettres à la police pouvaient être conçues comme des sortes de *snuffs movies*. On les lisait en sachant qu'elles étaient le résultat d'une expérience criminelle. Qu'elles étaient une sorte de compte rendu de cette expérience. Ce faisant, le tueur de La Vieille Lune se moquait de l'art, ou plutôt des limites dans lesquelles notre société lui permet d'exister. Ce qu'il cherchait à dire était que l'art, censé être la plus belle réussite de l'humanité et pour lequel on est prêt à dépenser les fortunes les plus colossales, était en réalité très peu valorisé. La preuve : il est interdit de commettre des crimes pour produire des œuvres, alors que l'on est prêt à tuer et à faire tuer pour défendre un intérêt supérieur de l'État. Pourtant on continue à s'extasier devant les tableaux du Louvre alors que personne ne se souvient des enjeux territoriaux ou politiques d'un grand nombre de guerres ou de conflits diplomatiques. C'est dans ce sens que le tueur de La Vieille Lune devait se sentir une sorte de justicier. En faisant de l'art avec des crimes, il élargissait les frontières du premier. Il montrait que lui, contrairement à d'autres, n'acceptait pas qu'on puisse considérer qu'il y avait des choses plus précieuses que l'art. Que nous ne serions jamais de véritables civilisés tant que ce dernier ne serait pas mis au-dessus de la morale. C'est pourquoi le tueur de La Vieille Lune devait croire qu'il était l'artiste le plus épatant de l'Histoire.

Mais quand allait-il le prouver ? Voilà une question qui m'a paru cruciale. Il était trop prétentieux et trop avide de reconnaissance pour se contenter d'attendre sa mort pour que ce soit fait. Il se débrouillerait pour que cela se passe de son vivant. Cet homme chercherait à se faire arrêter une fois qu'il estimerait son œuvre terminée. Son art serait contemplé, voire admiré lors de son procès par des milliers ou des millions des personnes. Et peut-être ferait-il des adeptes ? Peut-être souhaitait-il qu'un jour, son œuvre et celle de ses disciples soient considérées comme relevant du grand art et ses auteurs soient excusés par la justice ?

Et comment ne pas reconnaître ici encore une étrange parenté avec le destin de Baudelaire ? Ce dernier avait été condamné en 1857 à cause des *Fleurs du Mal* pour outrage aux bonnes mœurs. Il avait dû payer une forte amende et retirer six poèmes de son recueil. Or, en 1949, ce jugement a été révisé et la moralité de Baudelaire rétablie à titre posthume. Le tueur de La Vieille Lune n'attendait-il pas, lui aussi, qu'une fois condamné pour ses crimes, il finisse par être reconnu comme génial par la postérité ?

Voilà en substance les informations que j'avais recueillies et les conclusions loufoques auxquelles j'étais arrivée le 8 juillet, la nuit de mon deuxième jour de recherches sur le tueur de La Vieille Lune. Loufoques assurément, car à ce stade de mes connaissances, fondées sur les maigres renseignements que la police avait accepté de diffuser, il était ridicule de faire la moindre analyse sérieuse à propos du profil du tueur. Pourtant, vers la fin de l'après-midi, j'étais convaincue que mes hypothèses étaient solides et évidentes. J'ai même pensé que l'une des fonctions des médias devrait être de faire appel à l'intelligence du public pour la résolution de certains crimes, alors que la police s'acharnait à ne faire appel qu'à la sienne.

*

* *

Le lendemain à 11 heures a eu lieu l'étrange épisode des billcts de train pour Amsterdam et de la photo que j'ai déjà évoquée. Mon mari, que j'avais le sentiment d'avoir perdu à la suite de cette conversation, devait rentrer à Paris une semaine plus tard. Une fois ma crise de mélancolie terminée, j'ai continué ma lecture de l'essai de Scott Donn, *Pourquoi nous aimons les tueurs en série ?*, dont j'ignorais comment il avait atterri dans ma bibliothèque. Cette question qui m'avait paru d'abord peu signifiante – je recevais tant de livres par la poste que parfois je ne prenais même pas la peine de les regarder – allait bientôt prendre des dimensions obsédantes et faramineuses. Or, sur le moment, je me suis contentée de profiter de la manne d'informations que me procurait cette lecture. Quand j'ai tourné la dernière page, il était 17 heures.

Dans le chapitre consacré aux victimes des tueurs en série, Donn rapportait qu'aux yeux de certains auteurs américains, ces assassins ne seraient pas aussi difficiles à capturer par la police si leurs victimes n'étaient pas des paumées : des prostituées, des droguées, des fugueuses, des jeunes femmes seules et pauvres. Et aussi des SDF, des alcooliques. Ces auteurs ont même osé des hypothèses que j'ai trouvées un peu exagérées : les tueurs en série débarrassent la société de leur lie. Ils la nettoient de leurs éléments marginaux et pathogènes. Alors que s'ils s'attaquaient à des personnes bien intégrées et connues, la police se donnerait les moyens de les arrêter rapidement.

J'ai allumé l'ordinateur pour revoir les photos des victimes du tueur de La Vieille Lune. J'ai lu quelques lignes sur leur courte vie et il m'a semblé qu'elles correspondaient à la dernière des catégories indiquées par Donn, celle des femmes seules et pauvres. Pourtant, l'une d'entre elles, Jennifer Rodriguez, dont j'ai découvert la photo dans *Libération*, avait fait quelques études. Elle avait obtenu une licence de lettres à Nanterre, même si elle travaillait comme vendeuse de vêtements dans un magasin chic du Marais. En revanche, les autres étaient originaires des pays de l'Est et avaient des emplois plus modestes : deux femmes de ménage, une cuisinière et une serveuse. Mais une autre particularité, qui sur le coup ne m'a pas semblé importante, distinguait le meurtre de Jennifer Rodriguez de celui des autres victimes. Les deux premières avaient été tuées en même temps. La troisième et la quatrième à un an d'intervalle. Alors que l'assassinat de Jennifer, la cinquième, avait eu lieu un jour après celui de la quatrièmc victime. Et Jennifer était aussi la plus âgée. Elle avait vingt-cinq ans alors que les autres avaient dix-huit, dix-neuf ct vingt et un ans. J'en ai conclu que le tueur était en train de changer le profil de ses proies, même si je n'avais pas assez de renseignements pour être sûre de mon hypothèse. Pourtant les cinq victimes, outre leur blondeur et leur jeunesse, avaient un point commun dans leur allure ou dans leur regard. « Quelque chose de vulgaire, ai-je pensé, ou de trop directement sexuel. » Exactement le contraire de moi, en ai-je conclu en me regardant dans l'immense miroir que j'avais fait accrocher sur l'un des murs de mon bureau. Même si je me maquillais d'une manière très accentuée, jamais je ne dégageais cette vulgarité qui semblait si excitante pour les hommes, et notamment pour les tueurs en série. Et soudain je me suis demandé si mon mari n'avait pas fait allusion à cela quand il m'avait dit que je ne comprenais rien au sexe. Mais j'ai refusé de prendre cette idée au sérieux en me disant qu'il était impossible que mon mari aime des femmes comme Jennifer Rodriguez et les autres victimes du tueur de La Vieille Lune.

Comme j'avais commencé à avoir un peu mal à la tête, j'ai éteint l'ordinateur. J'ai pris une aspirine et je me suis allongée dans le lit, une serviette sur les yeux. Mais la douleur ne diminuait pas et je me suis énervée. J'ai attribué cet état à ma vue que je ne cessais d'exploiter comme si elle était corvéable à l'infini. Mon médecin m'avait mise en garde à plusieurs reprises. Vers 18 heures, j'ai pris une douche. C'est en m'habillant et en me maquillant que ma migraine a disparu.

J'ai quitté mon appartement vers 19 h 30 pour aller retrouver un couple d'amis de longue date : Fabien et Denis. Nous nous donnions toujours rendez-vous à La Paella, un restaurant qui se trouve rue des Vinaigriers, à quelques mètres de chez moi. À ce moment-là, je me suis rendu compte qu'on était mardi. Cela m'a semblé bizarre d'être aussi décalée. Car s'il m'arrivait souvent de ne pas connaître les dates, je savais toujours quel jour de la semaine on était. Or là, quelques minutes plus tôt, j'aurais parié qu'on était lundi ou mercredi. Comme si j'avais souhaité que le jour que j'étais en train de vivre n'ait pas existé.

V

Quand je suis arrivée au restaurant, mes amis étaient déjà installés à notre table habituelle. Ils buvaient de la bière et discutaient avec le serveur. Fabien était journaliste et il écrivait des romans à l'eau de rose très drôles qu'il signait sous un pseudonyme féminin. Comme il avait hérité d'une fortune considérable de son père, le peu de succès de ses livres ne l'affectait pas trop. Même si tout le monde le trouvait insupportable, je l'aimais bien. Au lieu de m'énerver, ses manières de chien râleur m'amusaient. D'ailleurs, elles allaient à merveille avec son physique car il était petit, brun et voûté, comme s'il avait refusé de quitter l'époque des cavernes. Denis, qui était son compagnon, venait d'avoir vingt-cinq ans – la moitié de l'âge de Fabien. Il préparait une thèse de sociologie et il était grand, roux et charmant. Outre le plaisir que j'avais de les rencontrer, ce soir-là je me réjouissais de pouvoir discuter avec eux à propos du tueur de La Vieille Lune. Parmi mes amis il n'y avait qu'eux deux qui s'intéressaient aux faits divers. C'est ainsi que dès que je me suis assise, j'ai exposé d'une manière très détaillée les hypothèses que j'avais élaborées à propos de l'assassin.

– Je ne crois pas qu'il soit un intellectuel raté et encore moins un artiste, dit Fabien. Le fait qu'il cite Baudelaire n'est nullement une preuve. *Les Fleurs du Mal* sont sur Internet. Je parie que c'est en tapant sur le mot « mal » qu'il les a découvertes. Puis il doit avoir copié un peu au hasard un des vers qui l'a intrigué. Je penche plutôt pour l'hypothèse d'un plombier ou de quelqu'un qui s'occupe d'installer des systèmes de sécurité à domicile. Un type habitué à visiter des appartements. Il sait quoi dire aux gens pour qu'on lui permette d'entrer ainsi que l'heure à laquelle il peut venir dans un immeuble sans être repéré. Autrement, ça lui prendrait un temps fou de choisir une proie et de savoir comment agir avec efficacité. Il est fort possible que les cinq victimes aient été des clientes de l'entreprise dans laquelle il travaille. Par ailleurs, j'ai lu récemment que contrairement à l'image que donne le cinéma, les tueurs en série ont un niveau intellectuel égal ou inférieur à la moyenne et qu'ils ont fait très peu d'études. C'est ce qui résulte des enquêtes américaines.

– Ces enquêtes sont complètement bidon ! l'interrompit Denis en prenant ma défense. Elles s'appuient sur des données très discutables. Car des tueurs en série, il y en a très peu. On ne peut pas tirer des conclusions générales à partir d'un nombre de cas si réduit. D'ailleurs en Europe, il y a quelques exemples de tueurs en série intellectuels. Je me souviens de deux cas en particulier. En France, le célèbre docteur Marcel Petiot, qui a été guillotiné en 1946. Il avait tué vingt-deux personnes pendant la guerre. Il lisait Dante alors qu'il préparait ses assassinats. Et puis dans les années 1990, il y a eu l'étrangleur de Vienne qui était un écrivain à succès.

– Mais le tueur de La Vieille Lune n'a pas de succès, remarquai-je, agacée. Il croit qu'il a raté sa vie. C'est pourquoi il tue.

Mes amis avaient l'air dubitatif.

– Mais que signifie au juste « rater sa vie » ? demanda Fabien, avec une certaine appréhension car lui ne cessait de penser, sans jamais l'avouer, qu'il avait raté la sienne.

– Je sais que cette idée est très relative, répondis-je. Il est évident qu'il n'y a pas de critères objectifs pour mesurer la réussite ou l'échec d'une vie.

Soudain j'ai été envahie par une tristesse profonde.

– Je crois, repris-je, qu'il y a des gens qui voient le verre à moitié vide alors que d'autres le voient à moitié plein.

Et sans m'en apercevoir, je me suis mise à pleurer. Mon maquillage s'est répandu sur mon visage. J'avais l'air d'un monstre. Les clients du restaurant me regardaient.

– J'en ai marre de mon mari ! dis-je en sanglotant tandis que Denis me tendait un Kleenex. Il est tout le temps malheureux, il m'accuse de ne pas avoir été recruté comme maître de conférences à la Sorbonne alors qu'il vient de trouver un poste en Hollande. Et aussi d'écrire des livres. Ou plutôt qu'il n'y ait que moi d'entre nous deux qui en écrive. Je n'en peux plus.

– Quitte-le ! lança Fabien que la psychologie ainsi que la souffrance humaine ont toujours dégoûté, et qui préférait les expédier d'une conversation au plus vite. Ou bien cherche-toi un amant !

Je n'ai pas répondu que je ne pouvais pas parce qu'une vie sans mon mari m'était inconcevable.

Et ce, non pas par coquetterie. Je ne l'ai pas dit car ce soir-là, je l'ignorais encore.

*

* *

Quand je suis revenue des toilettes avec le visage propre, j'ai compris que l'ambiance avait changé. Après cet épisode angoissant, mes amis et moi aussi avions envie de nous amuser avec mes théories loufoques sur le tueur de La Vieille Lune.

– J'imagine l'émergence d'une nouvelle caste composée d'écrivains sans œuvre et d'artistes sans succès qui se mettrait en marge de la société en commettant les crimes les plus abjects pour protester contre le système intellectuel, dit Fabien. Il n'y a rien de plus haineux et de plus amer que ces gens-là. Ils pourraient même s'associer pour commettre des assassinats ou des actes de sabotage, comme les terroristes de la cause d'Allah. Il y en a tant, parmi eux, qui sont si désespérés de ne pas avoir atteint les objectifs pour lesquels ils ont fait tellement de sacrifices qu'ils doivent se dire qu'ils n'ont rien à perdre. Dans ces conditions, une carrière criminelle peut représenter une issue. C'est comme se suicider en tuant d'autres personnes en même temps. Car pour eux la vie en tant que telle et pour elle-même n'a pas le moindre sens. Il ne faut pas oublier que la plupart de ces gens ont choisi de se consacrer à la littérature, à l'art, à la recherche parce qu'ils sont incapables de jouir de l'ici et du maintenant, du présent.

– Du plus haut au plus bas du système intellectuel et artistique, rajouta Denis en faisant le pitre, il n'y a que les gens qui ont du succès qui peuvent s'en sortir. Il n'y a aucune place pour les autres. D'ailleurs, le nombre de ces personnes va augmenter dans les années à venir. Car le niveau d'éducation s'améliore. Et les massacres vont suivre…

– Cela dit, renchérit Fabien, cette forme de terrorisme pousserait le gouvernement à faire quelque chose pour cette population qui se trouve parfois d'une manière injuste dans un état de détresse. Car il est vrai que le système porte souvent aux nues les nuls et brime les personnes qui le sont moins. Alors que si les nuls n'avaient aucune chance… Ce qui est insupportable, c'est que le succès ou le ratage dans ces domaines soit si arbitraire. Comment ne pas devenir fou ?

– Mais s'il y a quelque chose qui caractérise ces gens-là, c'est une terrible lâcheté, dis-je. C'est pourquoi franchement je ne crois pas que l'avenir affreux que tu prédis se réalise un jour. Si mes hypothèses sur le tueur de La Vieille Lune sont vraies, il doit s'agir de quelqu'un d'exceptionnel dans le sens où il est loin d'être lâche.

C'est alors que Denis, qui adorait me faire rire, a lancé :

– Qui sait ? Peut-être que le tueur de La Vieille Lune, c'est ton mari !

Je n'ai pas répondu que je n'y croyais pas parce que lui était trop lâche, justement. Voilà quelque chose que je ne voulais pas reconnaître, surtout devant mes amis. C'est pourquoi je n'ai eu d'autre issue que d'éclater de rire.

VI

Je suis rentrée à 23 h 30. Dès que j'ai ouvert la porte j'ai été saisie par une peur que je n'avais pas l'habitude d'éprouver. J'avais le sentiment que quelqu'un était venu pendant mon absence. J'ai allumé partout et j'ai cherché à m'assurer qu'il n'y avait personne d'autre que moi. J'ai même ouvert les placards et regardé sous les lits, mais ma terreur n'a pas diminué pour autant.

Je n'ai pas voulu téléphoner à Fabien et Denis par crainte qu'ils me proposent de venir chez eux. C'était hors de question. Et il était trop tard pour appeler quelqu'un d'autre, ne serait-ce que pour converser. Surtout pas mon mari qui allait faire semblant de dormir et qui n'allait pas décrocher.

Je me suis mise au lit sans me déshabiller et j'ai allumé la télévision. Il y avait tellement de chaînes que devoir en choisir une m'a angoissée. J'ai tout de suite éteint. Je suis allée à la cuisine pour prendre un verre de vodka et un Lexomil. Le mélange a eu l'effet opposé à celui que j'attendais. Loin de m'abrutir, il a fait naître en moi une sorte d'hyperlucidité. Pour l'amoindrir, je me suis mise à nouveau au lit, m'efforçant de respirer comme j'avais appris à le faire dans mes cours de yoga. À cet instant précis ma mémoire s'est allumée et j'ai clamé dans le silence :

– C'était Jennifer Rodriguez, bien entendu ! La fille de la photo que j'ai trouvée dans le bureau de mon mari pendant que je cherchais ses billets pour Amsterdam, c'était elle !

La boutade de Denis m'est revenue à l'esprit. « Mais non, me dis-je. Mon mari ne peut pas être le tueur de La Vieille Lune. C'est impossible. » Et cette phrase je la répétais comme si c'était non pas un constat mais une prière.

Je me suis assise devant la table de la cuisine dans une demi-pénombre. J'ai eu le sentiment que tous les objets qui s'y trouvaient me demandaient des comptes. Je ne pouvais pas, comme si de rien n'était, venir perturber leur ordre et leur fonction en imaginant que je partageais ma vie avec un assassin. Ce tête-à-tête avec les choses m'a fait rire et je ne pouvais plus m'arrêter. C'était drôle, trop drôle. Je me voyais en train d'expliquer ce que je pensais à un psychiatre en lui disant que des événements récents m'avaient trop éprouvée et que j'avais fini par perdre la boule. Il y avait eu d'abord *La Corde* et puis « le sexe est la pire tragédie de l'existence humaine » et le crime du charcutier et celui du tueur de La Vieille Lune et puis cette photo dans son bureau. Le tout sur le fond d'anxiété que provoque un mariage à la dérive. Sans doute, me dis-je, suis-je dans ce qu'on appelle un état de confusion, dans un petit délire que la vodka et le Lexomil doivent avoir excité. Le mieux était donc de me coucher afin de chasser ces soupçons de mon esprit. Demain, ils me feraient rire. Pourtant je savais très bien que je n'étais pas folle. Et que si au lieu de chercher à éclaircir cette situation j'allais me coucher, je ne ferais rien d'autre qu'accroître mon angoisse.

Il fallait que je retourne dans le bureau de mon mari pour regarder la photo. C'était la seule démarche rationnelle. Peut-être la fille ressemblait-elle à Jennifer Rodriguez, mais était en réalité une autre personne ? J'ignore d'où m'est venu le courage qui m'a permis de me lever et de parcourir le couloir qui me séparait du bureau maudit.

Je me suis souvenue que j'avais laissé la photo à côté de l'ordinateur. Or elle n'y était plus. Je me suis mise à chercher partout en me disant que j'avais pu me tromper et l'avoir déplacée. Que sans y penser, j'avais pu la mettre dans un tiroir ou sous d'autres papiers. Mais rien. Pourtant je n'avais pas été atteinte d'une illusion pendant que je parlais à mon mari au téléphone. Et personne n'était entré dans son bureau après. Lui était à Antibes pendant cette conversation. J'ai même entendu la voix de sa mère qui l'appelait. Cette voix affreuse.

Vers 2 heures du matin, j'ai fini par trouver le billet pour Amsterdam sur une étagère de la bibliothèque. Or ce n'était pas là que je l'avais laissé. J'en étais sûre. Je n'ai vu qu'une seule explication à cela : après m'avoir parlé au téléphone, mon mari avait pris le premier avion pour rentrer à Paris. Puis il avait attendu dans le bistrot d'en face que je sois partie à mon dîner pour venir récupérer la photo. Il a sans doute pensé que j'avais pu me rendre compte que c'était celle de Jennifer Rodriguez et cette idée l'a paniqué. Je l'imaginais en train de prier que je ne fasse pas le lien. Tout au moins, avant qu'il ne rentre d'Antibes.

Vers 3 heures, j'ai décidé de téléphoner au numéro fixe de ma belle-mère. Dans une autre situation, cela aurait été scandaleux. Mais là, il me semblait que c'était la manière la plus simple de le démasquer. Comme je suis tombée à plusieurs reprises sur le répondeur, j'ai insisté. La femme de ménage a fini par décrocher. Elle m'a dit avec un accent marocain qui se mêlait à son endormissement que tout le monde était parti à la maison de la montagne. Où il n'y avait pas de téléphone fixe.

Je me suis couchée et me suis mise à raisonner, à rabâcher ce que je venais d'apprendre, à radoter. Cet homme que j'aimais avait transformé les corps chauds de ses victimes en des masses de chair amorphe prête à pourrir. Et comme j'avais le plus grand mal à me représenter l'instant fatidique où ce salopard arrachait une conscience au monde – car cela, cette forfanterie dégoûtante, je ne pouvais pas la concevoir –, je me suis concentrée sur la pourriture de la chair. Sur les odeurs et sur les couleurs de la mort.

J'ai été submergée par le froid qui vient de la peur. Ce froid qui nous rappelle que nous, les mortels, nous marchons sur la crête savonneuse qui sépare l'enfer de l'ici du néant de l'au-delà. Et que notre vie durant, nous sommes sommés de choisir entre ces deux horreurs. J'ai maudit le fait d'être née, d'être là, de savoir désormais.

Je me suis levée. Je ne pouvais pas rester ainsi. J'ai parcouru toutes les pièces, comme si cela allait m'aider à mieux comprendre. Puis je suis allée m'asseoir dans le salon. Les souvenirs des dernières semaines se sont précipités dans ma conscience. Ma découverte macabre me permettait de les relier, de les interpréter et de les organiser. Tout prenait place et se remplissait de sens. Et le sens était le sang, l'orgueil et le sang.

Alors que je croyais qu'il n'écrivait pas, depuis trois ans il rédigeait des lettres à la police. Des dizaines. Peut-être même des centaines. Car s'il en envoyait certaines, combien devaient rester enfouies dans son ordinateur ? Et qui d'autre qu'un malade de son espèce aurait pu affirmer que « le sexe est la pire tragédie de l'existence humaine » ? Comment appeler autrement une activité qui justifie que l'on tue ses semblables pour éprouver quelques instants de plaisir ? Voilà ce qu'il devait se dire quand il n'était pas pris par sa folie meurtrière. Car je pouvais imaginer qu'il devait lui arriver d'être rongé par le remords.

Et soudain, le film *La Corde* m'est revenu en mémoire. C'est dans cette ignoble histoire qu'il devait puiser des forces pour commettre ses crimes. Car pour tuer de la manière dont il le faisait, il avait besoin de justifications. Il devait s'efforcer de croire que les êtres inférieurs devaient supporter les droits et les privilèges que les êtres supérieurs s'arrogeaient sur eux. C'est ainsi qu'il devait considérer ccs pauvres filles qu'il étranglait avec des rubans roses. Comme des ordures, comme des déchets dont la vie aurait au moins un sens : celui de servir pendant quelques instants à satisfaire ses désirs à lui. Et en commettant des meurtres parfaits, il pouvait croire à sa supériorité. Morale d'abord. Car lui, à la différence de tant d'autres personnes qui avaient plus de talent que lui, dont moi, il était capable de transgresser la morale dominante qui commandait de ne pas tuer, de ne pas violer, de prendre les autres humains comme des égaux. Au lieu de supporter, d'obéir aux valeurs dominantes, il inventait sa propre morale, comme un artiste. Une supériorité technique, ensuite. Il se débrouillait pour que la police ne remonte pas jusqu'à lui. Il se moquait de cette institution qui était composée à son sens de types ignares, d'êtres inférieurs qui appartenaient, à quelques détails près, à la même catégorie sociale et culturelle que ses victimes… Une supériorité esthétique, enfin. Comme les assassins de *La Corde*, mon mari avait transformé ses meurtres en véritables œuvres.

Et moi dans tout ça ? Quel était le rôle néfaste que je jouais ?

Le profilage du tueur de La Vieille Lune que j'avais esquissé le jour même m'est revenu. Trois ans plus tôt, mon mari avait dû s'imaginer que je ne l'aimais plus parce qu'il était un raté, parce qu'il n'arrivait pas à écrire, parce qu'aucune université ne voulait de lui. Voilà l'événement stressant qui avait dû le faire basculer dans le crime. J'avais peut-être dit ou fait quelque chose dont je n'avais pas mesuré la portée sur le moment et qui lui avait fait croire cela.

En quelque sorte, j'étais coupable de tout ce qu'il avait fait par la suite.

Mais ma faute était si énorme que je n'arrivais pas à y croire. J'ai feuilleté mes souvenirs un à un. Je ne voyais que lui s'éloignant de moi et non pas moi de lui. Non et non. Je n'avais rien fait d'autre que tenter de l'aimer et de le lui montrer le mieux que j'avais pu. Cette histoire de l'événement stressant à cause d'une femme qui l'aurait quitté, qui aurait cessé de l'aimer était une erreur. D'ailleurs, ce profilage, ne l'avais-je pas fait avec des informations si maigres qu'il frôlait l'absurdité ?

C'est alors que je me suis dit que l'événement stressant chez mon mari n'était pas qu'une femme, en l'occurrence moi, l'ait quitté, mais le contraire. C'est lui qui avait cessé de m'aimer. N'est-ce pas tout aussi traumatisant ? Et Baudelaire n'avait-il pas écrit un poème sur cette question terrible dans *Les Fleurs du Mal* ? « Les Métamorphoses du vampire »... Que disait ce poème que Léo Ferré avait si maladroitement mis en musique ? Qu'avant l'épuisement du désir, de l'amour, la femme est un soleil, une étoile, un ciel et puis qu'elle devient un cadavre, un détritus, l'image effroyable de la mort.

Cela me rendait toujours et encore coupable. Si je n'avais pu su le garder et qu'il était devenu un tueur en série, c'était bel et bien ma faute. Or le bon sens me disait que je ne pouvais pas accepter cette explication.

*

* *

Mon esprit s'est quelque peu éclairci quand j'ai pensé au livre *Pourquoi aimons-nous les tueurs en série ?* Il était évident que c'était mon mari qui l'avait placé dans la bibliothèque. Ce titre n'était rien d'autre qu'une question qu'il m'adressait afin de me transformer en complice inconsciente de ses crimes. Ne cherchait-il pas à me dire que, loin d'être dupe, j'étais attachée à lui parce qu'il était un tueur de femmes ? Ou bien que si j'étais dupe, c'est parce que je tirais du plaisir en feignant d'ignorer que j'étais l'épouse d'un tueur en série. Sinon, comment pouvais-je interpréter son commentaire à propos de l'épouse du charcutier assassin ? Ce plaisir qu'il éprouvait en me narguant expliquait qu'il se soit montré si hostile à l'adultère. C'était une manière de me dire qu'il ne me trompait pas. Ou bien qu'au lieu de me tromper, il préférait tuer et se masturber. Tuer *mes rivales.*

S'il avait laissé traîner la photo de Jennifer, c'était aussi pour me narguer. Pour jouer avec sa propre peur en pariant que je n'allais pas faire le lien. Car si à ce moment-là j'avais été en train d'écrire un livre ou un article ou une conférence, jamais je n'aurais prêté la moindre attention à l'assassinat de Jennifer ou au tueur de La Vieille Lune. La preuve : il avait déjà commis quatre meurtres avant et je ne m'étais rendu compte de rien. Et qui sait ? Peut-être avait-il laissé traîner des indices de ses autres victimes dans la maison sans que je m'en aperçoive.

Mais moi, il n'allait pas me tuer. J'en étais sûre. Pour cela, il aurait fallu qu'il se sente supérieur à moi. C'est ce sentiment qu'il éprouvait envers certaines femmes qui lui procurait l'excitation sexuelle nécessaire à la mise en œuvre de ses assassinats. Alors qu'avec moi c'était impossible. J'avais réussi à sa place. Je lui avais volé son destin. Il ne me tuerait jamais car j'étais beaucoup plus forte que lui. Sauf que moi, je l'aimais. Et j'ai éclaté en sanglots.

J'ai repensé alors à la phrase de Graham Greene : « La vérité ne change pas un homme. » J'ai mesuré à quel point elle regorgeait d'une vérité affreuse, répugnante, collante. Qu'allais-je faire désormais ? Un amour ne meurt pas de crise cardiaque, mais d'épuisement. C'est un processus lent. Il était impossible de l'arracher de mon cœur comme s'il était une mauvaise herbe.

Or ce que j'avais à faire désormais était encore plus horrible que ma découverte. Car rien au monde ne m'empêcherait de le dénoncer à la police, même l'amour sans limite que j'éprouvais toujours pour lui. Mon mari était un monstre qui ne méritait de jouir d'aucun des privilèges des hommes libres. En revanche, je n'avais pas la moindre preuve pour le faire arrêter. Pas la moindre.

*
* *

Épuisée par ce soliloque interminable, je suis allée à la cuisine terminer la bouteille de vodka à peine entamée. Je l'ai bue d'un coup comme une ivrogne, sans prendre la peine de la verser dans un verre. Au bout de quelques minutes, je ne voyais que des étoiles tourner autour de moi. Je ne pouvais pas marcher droit. Il a fallu que je longe les murs pour arriver jusqu'à mon lit. Il devait être près de 5 heures quand j'ai enfin réussi à abolir ma conscience, à mourir, à m'endormir.

VII

Je me suis réveillée vers midi. J'avais oublié de tirer les rideaux et le soleil entrait par la fenêtre de la chambre comme un fleuve de feu. L'alcool de la veille brûlait dans mes tempes. J'ai eu beaucoup de mal à me lever et à marcher.

Il m'a fallu quelques minutes pour me souvenir que j'étais la femme d'un tueur en série. Et aussi que mon mari n'était pas au courant que je le savais. Cette ignorance qu'il m'attribuait m'a remplie de colère. Il me fallait l'appeler avant même de prendre une aspirine ou de boire un café.

– Où es-tu ? ai-je crié sans même lui dire bonjour.

– On vient juste de rentrer de la montagne, me dit-il calmement. Mais qu'est-ce qui se passe ? Pourquoi tu me parles comme ça ?

– Il faut qu'on se voie tout de suite. Il se passe quelque chose de très grave.

– De très grave ? demanda-t-il, ironique. Un autre meurtre dans le quartier ?

– Pas un autre meurtre. Il faut qu'on se parle au plus vite.

– Je t'écoute.

– Non, pas au téléphone. Et il faut que ce soit tout de suite.

– Je te rappelle dès que j'ai l'heure de mon vol, promit-il, conciliant, comme s'il parlait à une folle furieuse.

Il m'a téléphoné quelques minutes plus tard pour m'annoncer qu'il serait à la maison vers 22 heures.

– Tu pourrais être ici plus tôt, remarquai-je, puisque de toute façon tu es déjà à Paris. Tu es venu hier vers 20 heures pour chercher quelque chose dans ton bureau et tu es reparti. Tu dois avoir attendu dans le café d'en face que je m'en aille à mon dîner. Je sais que tu es à Paris.

– Tu délires. De quoi parles-tu ?

– Je viens te chercher à l'aéroport.

– Viens si tu veux, répondit-il en criant. Mais dans ces conditions je ne rentre pas à Paris. Il faut te faire soigner !

– Alors je vais te le dire au téléphone : tu es le tueur de La Vieille Lune et je vais tout de suite à la police.

– Va où tu veux ! Comment peux-tu croire une chose pareille ? C'est monstrueux !

– Le monstre, c'est toi. C'est toi qui es monstrueux, répondis-je en larmes.

– Prends un calmant et j'essaie d'arriver plus vite.

– Bien sûr que tu peux venir plus vite puisque tu es à Paris, je ne sais où, depuis hier après-midi.

– Je ne suis pas à Paris ! hurla-t-il, hors de lui.

Et il raccrocha.

Je l'ai rappelé plusieurs fois, mais il n'a plus répondu. Je suis allée à la cuisine pour me préparer un café et pour penser aussi à ce que j'allais faire de cette journée dont la longueur me semblait terrifiante. Il m'était impossible de téléphoner à la police, encore moins de m'y rendre. Impossible. La seule fois où j'étais allée dénoncer quelqu'un – un voisin fou qui me menaçait de mort – on m'avait traitée si mal que j'étais restée traumatisée pendant des mois. Ces salopards m'avaient dit : « Si votre voisin n'est pas un Arabe ou un Noir, vous n'avez pas à vous inquiéter. » Alors si maintenant je venais leur annoncer que je savais qui était le tueur de La Vieille Lune en invoquant le souvenir d'une photo que j'avais vue et que je n'arrivais plus à retrouver, j'allais subir les pires sarcasmes de la part de ces brutes. Il valait donc mieux aller voir des amis sans uniforme. Ceux qui nous aiment et qui nous font confiance peuvent se passer de preuves. C'est pourquoi j'ai pensé à Pierrette Adams.

On était mercredi et je savais qu'elle travaillait dans son cabinet du 14e arrondissement.

– Il faut que je te voie tout de suite, lui dis-je.

Elle pourrait me parler rapidement entre deux patients, mais pas plus que quinze minutes, me précisa-t-elle. J'ai pris un taxi qui me déposa au début de l'avenue Jean-Moulin, à Alésia, devant son cabinet. Pendant que je cherchais le code, je me suis aperçue que la chaleur avait diminué de plusieurs degrés et qu'il y avait des petites rafales d'air frais. Mais cette sensation agréable n'a duré que quelques secondes. Dès que j'ai pensé à mon mari, j'ai été à nouveau submergée par l'angoisse. J'avais le sentiment que j'avais apporté un énorme paquet chez Pierrette et que j'allais pouvoir l'y déposer quelques minutes pour que, pendant ce temps-là, ma poitrine cesse de me serrer le cœur. Elle était ma plus vieille amie et aussi celle que je voyais le plus souvent. Et même si je ne lui avais jamais rien demandé, combien de fois m'avait-elle fait comprendre que je pouvais compter sur elle ?

*

* *

Après ses études de psychologie et de littérature à Paris, Pierrette était partie à Philadelphie pour faire une thèse de doctorat. Elle s'était mariée avec l'un de ses professeurs et était revenue en France séparée et avec deux enfants. Depuis, elle vivait avec un ingénieur qui était terriblement ennuyeux mais qui l'adorait. Déçue par la psychanalyse, mon amie pratiquait depuis quelques années une psychothérapie « par le récit » qu'elle avait apprise aux États-Unis. Elle demandait à ses patients de lui raconter leur histoire, mais du point de vue d'autres personnes. Au début ils devaient emprunter celui de leurs proches. Puis, quand le traitement avançait, il fallait que leur histoire soit racontée par des personnages secondaires de leur vie : femme de ménage, chauffeurs de taxi, voisins, vendeurs de billets dans une salle de cinéma, chiens ou chats.

Enfin, lorsque les patients atteignaient la dernière étape de leur cure, ils devaient emprunter le point de vue d'une chaise, d'une table, d'un réfrigérateur. La véritable guérison, m'avait dit Pierrette, arrivait le jour où ils pouvaient se mettre à la place de Dieu, raconter leur vie de la naissance jusqu'au trépas. Et il n'était pas nécessaire d'être croyant pour cela. Il suffisait d'imaginer le point de vue de Dieu en tant que personnage d'un récit religieux très singulier. Car il s'agissait d'un Dieu qui veillait sur des milliards de millions de créatures en même temps et qui ne s'occupait d'aucune en particulier.

Lorsque Pierrette m'avait expliqué ce qu'elle faisait avec ses patients, je lui avais suggéré qu'elle cherchait à ce que ces derniers se sentent des merdes. « Pas des merdes, m'avait-elle répondu. Des riens. Des riens entre deux néants, celui qui précède notre naissance et celui qui suit notre mort. Les personnes qui arrivent à ressentir cela sont sauvées. Elles sont prêtes dorénavant à être heureuses. »

Jamais je n'avais entendu quelque chose d'aussi minable. Il s'agissait d'une thérapie pour apprendre aux individus des sociétés comme la nôtre à se contenter de leur solitude affreuse sans se suicider ou devenir tueur en série, de masse ou terroriste. Pour qu'ils acceptent que, lorsqu'ils feront appel à quelqu'un, son téléphone sera toujours occupé, sur répondeur, comme celui de Dieu.

*
* *

Le cabinet de Pierrette était au rez-de-chaussée, au fond d'une cour blanche et pleine de fleurs jaunes. Quand j'y suis entrée, il y avait trois personnes dans la salle d'attente, une adolescente, une femme obèse entre deux âges et un homme d'une quarantaine d'années. Chacun à sa façon avait une allure étrange. Ils ne cessaient de se regarder entre eux. Moi aussi ils m'ont regardée et ils ont tout de suite compris que je n'étais pas des leurs.

Cinq minutes plus tard, Pierrette a ouvert la porte de son bureau et m'a fait entrer dans la cuisine. C'était la première fois que je la voyais sur son lieu de travail. Elle avait l'air encore plus grande et plus mince que d'habitude. Et toujours aussi belle. Son sourire affecté m'a d'abord gênée. Puis je l'ai excusée en me disant qu'il devait en être ainsi quand elle recevait des patients. Elle a servi le thé un peu froid d'un Thermos dans deux tasses de porcelaine. Tout était si propre et si rangé que j'aurais dû me douter que cette rencontre allait très mal se terminer.

Quand je lui ai parlé de mes soupçons, elle a cru que je délirais. Elle m'a assuré avec une voix froide et métallique qu'elle pouvait me donner le numéro de téléphone d'un psychiatre qui était l'un de ses amis proches. Comme j'ai gardé mon calme et que j'ai insisté, elle a essayé de me persuader en faisant appel à la logique.

– Il faut que tu puisses admettre que la fille que tu as vue sur la photo n'était pas Jennifer Rodriguez. Tout le monde peut se tromper. Tu ne peux pas affirmer que ton mari, que tu connais d'une manière si intime depuis tant d'années, soit un monstre sur la seule foi de la ressemblance de la morte avec une photo introuvable.

– Mais c'est lui qui l'a dérobée pour que je ne puisse pas faire cette comparaison ! Pourquoi crois-tu qu'il ait fait une chose pareille ?

– Le plus vraisemblable, c'est que ce soit toi qui aies mis cette photo quelque part. Et tu as oublié parce que tu étais énervée quand tu as eu cette conversation : tu as imaginé que ton mari avait pu avoir une liaison avec la fille de la photo.

– Jamais je n'ai cru cela ! dis-je avec véhémence. J'avais accepté l'explication qu'il m'avait donnée. Que la fille de la photo était Catherine. Tu l'as entendu vitupérer autant que moi contre les personnes qui trompent leur partenaire. Souviens-toi que tu t'es même disputée avec lui à ce propos l'an dernier pendant un dîner…

– Tu sais ? m'interrompit-elle avec une voix des plus calmes, comme si elle s'adressait à un enfant. Moi, pas plus tard qu'hier, j'ai perdu une lettre pendant que je parlais au téléphone avec un collègue qui m'avait énervée. J'ai fini par la retrouver au milieu de la nuit. Sans m'en rendre compte, je l'avais posée sur une étagère de la bibliothèque, à côté d'un livre d'art. Si ça se trouve, tu as eu toi aussi un mouvement comparable. Peut-être qu'en revenant chez toi, tu trouveras la photo dans ta cuisine ou dans ta chambre. Quoi qu'il en soit, il me semble qu'il est trop précipité d'accuser ton mari d'être un assassin sur la foi d'une preuve aussi mince.

– Il y a des choses que l'on sait, répondis-je, fâchée.

– Alors pourquoi ne l'as-tu pas su avant ?

– Sans doute parce que je voulais le protéger ou protéger notre relation, ou parce que j'étais sous son emprise à cause de ses reproches…

Pierrette n'avait pas l'air satisfaite de mes réponses. Mais elle n'insista pas car elle devait s'occuper de ses patients. Je lui ai dit au revoir un peu froidement et je suis partie.

J'ai marché une dizaine de minutes avenue du Général-Leclerc, en direction de Denfert-Rochereau. Petit à petit, je me suis souvenue de quelques détails désagréables de cette conversation auxquels je n'avais pas prêté attention sur le moment. Et c'étaient plus ses mimiques que ses paroles. Dès qu'elle a compris que ce qui m'arrivait était grave, elle a eu un rictus affreux et ses yeux ont lancé des éclairs. Comme si j'avais sorti de mon sac une main découpée et sanguinolente et que j'avais cherché à la poser sur la table de la cuisine. Pierrette était dégoûtée par moi et par ma peine. Et puis je me suis rappelé ses mains contre son chemisier. Quand je lui parlais, elle serrait les doigts comme si j'étais en train de lui faire une piqûre intraveineuse. Alors que quelques jours plus tôt, quand ma vie avait l'air d'aller bien, elle me regardait avec tant d'admiration que cela me gênait. Soudain je n'étais plus une amie, mais une sorte de mendiante sale et dégoûtante qui lui demandait une aumône. Cela m'a tant attristée que je me suis assise sur un banc du petit square de Denfert-Rochereau et je me suis mise à sangloter comme si j'avais huit ans et que j'avais perdu ma mère au supermarché. Je me suis souvenue que des années plus tôt j'avais eu besoin d'aide et que j'avais pu découvrir des réactions semblables à celles de Pierrette. Mais à cette époque, j'étais une étudiante pauvre qui venait d'arriver à Paris pour faire une thèse. Je connaissais très peu de monde et personne ne me connaissait. Je me suis dit qu'au fond, maintenant, c'était pareil. Jusqu'ici, je n'avais pas encore compris – car il faut avouer qu'il est très difficile de le faire – que moi, personne n'allait jamais me consoler. Même quand j'étais enfant, je n'avais pas eu cette chance. Pourquoi l'aurais-je étant adulte ? C'est le prix que doivent payer les personnes qui ont l'air d'être plus fortes que les autres. Ou bien celles qui ne savent jamais distinguer les amis des ennemis. Et moi j'appartenais aux deux catégories à la fois. Il fallait donc que je sois pratique. Au lieu de chercher du réconfort, je devais trouver le moyen de prouver que mon mari était le tueur de La Vieille Lune. Que la police me l'arrache du cœur.

*

* *

Il était 16 heures quand j'ai pris un taxi pour rentrer chez moi. Alors que je traversais le boulevard Saint-Michel vers la Seine, je me suis souvenu de Martin Facchini, un journaliste qui s'occupait des faits divers dans un célèbre hebdomadaire. Quelques années plus tôt, il avait travaillé avec Fabien au *Parisien* et ils avaient gardé de bonnes relations. Facchini était l'un des habitués des soirées que Fabien organisait chaque mois sur sa grande terrasse. J'avais discuté avec lui à quelques reprises chez mon ami et la dernière fois, il m'avait donné son numéro de téléphone. Il me semblait être la personne qui convenait le mieux à la situation. Je l'appelai aussitôt.

– Il faut que je vous parle très vite, lui dis-je.

On s'est fixé un rendez-vous au café Beaubourg le lendemain matin.

La perspective de cette rencontre m'a rassurée. Il me fallait désormais la préparer car il était hors de question de raconter toute la vérité à Facchini. Je le connaissais à peine.

Quand j'ai ouvert la porte de mon appartement, j'étais moins anxieuse. J'ai commencé à avoir faim et je me suis préparé des pâtes. Puis vers 17 h 30, j'ai allumé mon ordinateur pour regarder mes mails. Mon mari m'en avait envoyé trois. C'étaient dcs messages d'amour et d'inquiétude. Mais ils me paraissaient faux et ils sonnaient mal. J'étais si fatiguée que je me suis couchée.

J'essayais d'imaginer ma conversation du lendemain, mais je n'y arrivais pas. Je crois que je me suis endormie vers 19 heures alors que le soleil était encore planté en plein ciel.

*
* *

Je dormais comme un mort quand mon mari est arrivé. Le bruit de la porte et de sa valise à roulettes m'a pourtant réveillée. Il est venu directement dans la chambre, il a allumé et il s'est assis sur le lit. Après un court silence, il a tenté de me serrer dans ses bras. Je l'ai repoussé de toutes mes forces.

– Tu es un ignoble assassin. Tu as tué cinq femmes. Surtout ne me touche pas. Ne me touche jamais plus !

– Tu es folle, me dit-il sans s'énerver. Je ne sais pas ce qui a pu se passer pour que tu te mettes à délirer ainsi. Pierrette m'a téléphoné cet après-midi. Elle est de mon avis…

– La salope ! criai-je. Elle t'a téléphoné ?

– À qui voulais-tu qu'elle téléphone ? Elle a trouvé que tu étais en plein délire…

– Délire ? Et la photo ? Comment se fait-il que tu aies dans ton bureau la photo de Jennifer Rodriguez ?

– Je n'ai jamais eu dans mon bureau la photo de Jennifer Rodriguez. Comme je te l'ai dit, la fille que tu as vue était Catherine.

Il s'est levé et m'a regardée comme un père regarde une petite fille qui fait des caprices.

– Allons ensemble retrouver cette photo, dit-il en me prenant par la main. Je ne sais pas où tu as pu bien la mettre, mais je suis sûr qu'on va la retrouver.

Je me suis laissé traîner comme un vieux meuble. J'attendais qu'un miracle me prouve que j'avais commis une terrible erreur. Que la chaleur, la solitude, la crise de notre couple, la peur de ce tueur en liberté m'avaient poussée à penser l'impensable. Et j'imagine que j'espérais aussi – même si je n'arrivais pas à me l'avouer – que cette terrible méprise nous serve à discuter, à nous souder, à remonter notre amour en arrière comme les aiguilles d'une montre qui avanceraient vers le passé et non vers l'avenir.

En arrivant dans le bureau, mon mari s'est mis à chercher. Il a déplacé les papiers, ouvert les tiroirs. Il a même regardé dans la corbeille bleue qu'il ne vidait jamais. Soudain, il a levé les yeux et a montré du doigt la bordure de la cheminée. Il s'en est approché et a pris une photo. Il l'a regardée et il me l'a montrée. C'était une jeune femme grande et blonde, mais ce n'était pas Jennifer Rodriguez.

– Ce n'est pas la photo que j'ai vue hier matin. Tu es passé pendant mon absence, pour déposer cette photo. D'ailleurs, tu ne me crois pas assez sotte pour n'avoir pas regardé les papiers qui traînaient sur le rebord de la cheminée, quand même ! Hier soir, avant de comprendre la vérité, je les ai examinés un à un. J'ai cherché partout. Je souhaitais m'être trompée...

Il m'a regardée avec un air de défi qui m'a mise hors de moi. À l'instar de Pierrette, il me suggérait qu'il me fallait accepter cette explication. Qu'elle était la seule raisonnable, même si elle était fausse. Or moi qui m'étais voilé la face pendant tant d'années, je ne pouvais désormais accepter autre chose que la vérité.

– Maintenant tu disparais d'ici, lui dis-je sans le regarder. Va-t'en !

J'ai senti qu'il brûlait d'une colère retenue. Sans dire un mot, il a pris sa petite valise et il est parti en claquant la porte.

J'ai avalé deux comprimés entiers de Lexomil pour noyer ma colère. Car il continuait à me mentir, à m'inciter à ne pas voir. Pourtant, le parfum qu'il avait laissé dans la chambre m'a rappelé des jours heureux. J'essayais de ne pas respirer cette mélancolie, mais c'était impossible. Celui qui m'avait tant aimée était toujours vivant quelque part pensai-je, alors qu'une douleur vive me prenait la poitrine. À cet instant, j'avais envie de m'enfoncer dans la nuit pour lui dire de revenir. J'aurais tout donné pour ne pas avoir appris la vérité. J'ai maudit les événements désastreux qui avaient eu ma lucidité comme point d'origine. Ma lucidité présente ou mon aveuglement passé. Cela revenait au même, me disais-je, alors que les substances chimiques que je venais d'avaler étaient en train de me plonger dans un sommeil affreux.

VIII

Le lendemain, je me suis réveillée à 8 h 30. C'était le mercredi 10 juillet. J'ai ouvert les volets de la chambre et le soleil m'a aveuglée. Les fenêtres de la cuisine étaient grandes ouvertes, laissant entrer un air dense et chaud. Avant de penser à quoi que ce soit j'ai pris une douche. J'y suis restée presque dix minutes, à sentir le parfum du savon et la puissance de l'eau sur ma peau.

Puis, tout en avalant quelques cafés, je me suis habillée et maquillée comme si je devais aller faire une conférence. Il fallait que je sois habile et convaincante.

Je suis partie de chez moi à 10 heures. Je voulais aller à pied jusqu'au café Beaubourg pour réfléchir à ce que j'allais dire à Martin Facchini. Le trajet m'a paru terriblement fatigant et j'ai songé à plusieurs reprises à prendre le métro. Quand je suis passée devant le Conservatoire des Arts et Métiers, il faisait si chaud que j'ai eu le sentiment de traverser un sauna. Mais la marche est un moyen de locomotion qui ne dépend pas complètement de la volonté. La pire des fatigues n'est pas une raison pour s'arrêter une fois que l'on est engagé. C'est pourquoi j'aime autant marcher.

Mes hésitations à propos de la meilleure manière de me rendre à mon lieu de rendez-vous ne m'ont pas permis d'élaborer un récit pour convaincre Facchini de m'aider sans lui raconter tout ce qui s'était passé. J'ai fini par penser qu'il valait mieux lui dire la vérité. C'est toujours le plus simple quand on a en face de soi un interlocuteur de bonne foi. Car même si je connaissais à peine Facchini, je n'avais aucune raison de douter de ses bonnes intentions envers moi.

Je suis arrivée à 11 heures pile et il était déjà là, assis à la terrasse. Il m'a jeté un regard si enjôleur que je me suis demandé s'il croyait que je lui avais téléphoné pour l'inciter à me draguer. Après tout, je ne lui avais jamais donné l'occasion de le faire car les quelques fois où je l'avais croisé chez Fabien, j'étais avec mon mari. Je ne me rappelais d'ailleurs pas si je l'avais vu en compagnie d'une femme. J'avais juste remarqué sa tête étrange, ses oreilles décollées et cet air d'adolescent perdu – même s'il devait avoir un peu plus de quarante ans –, mince, plutôt réservé. Mais le plus étonnant chez lui était l'expression de son visage. Il était impossible de savoir si c'était un saint ou un débile. Selon Fabien, Facchini avait un véritable talent d'écriture. Il était le meilleur chroniqueur de faits divers de France. Et si écrire sur les crimes n'avait pas été si mal vu par l'intelligentsia parisienne, disait Fabien, il aurait sans doute joui d'une petite célébrité.

*

* *

Quand je me suis assise, il continuait à me regarder de la même façon que lorsqu'il m'avait vue arriver. Je me suis rendu compte que la situation me rendait nerveuse au moment où le serveur m'a demandé ce que je voulais boire. J'aurais voulu dire une vodka ou un whisky, mais Facchini avait commandé un crème et j'avais honte d'avoir l'air d'une alcoolique.

– Je suis désolée de vous avoir demandé de vous voir avec tant d'urgence.

– Il ne faut pas être désolée. Que puis-je espérer de mieux que de prendre un verre avec une femme comme vous à cette terrasse ?

– Vous êtes gentil. Mais je ne voudrais pas vous retenir longtemps.

Je lui ai raconté toute l'histoire. Ma crise conjugale, mes premières hypothèses sur Baudelaire, les photos, ma découverte, la dernière rencontre avec mon mari. Mais comme j'ai le sens de la synthèse, mon récit ne doit pas avoir duré plus de quinze minutes. Pourtant, quand j'ai fini, j'étais épuisée.

– Je crois que vous faites fausse route, me dit-il avec douceur. Et je vous assure que je ne mets nullement en doute l'histoire de la photo. Je suis sûr que ce que vous avez vu était vrai. Vous êtes une personne parfaitement normale, douée d'ailleurs de ce qu'on appelle un esprit supérieur. Mais pourquoi et comment allez-vous en déduire que c'est votre mari qui a tué Jennifer Rodriguez ? Le plus vraisemblable est qu'il la connaissait, qu'il a même eu une liaison avec elle. Et franchement, le fait qu'il se soit montré outré par l'adultère ne prouve pas le contraire. Les hommes et les femmes qui trompent leurs partenaires sont capables de raconter des mensonges incroyables. Cela m'est arrivé et j'imagine qu'à vous aussi. Peut-être pas avec votre mari actuel mais avec le précédent ou avec vos fiancés d'avant. J'en suis sûr.

J'étais offusquée. J'ai même voulu me lever et partir.

– Ce n'est pas possible ! ai-je presque crié. Il me l'aurait…

– Mais non, il ne vous l'aurait pas avoué ! Les gens qui s'empêtrent dans un mensonge sont parfois capables d'aller très loin pour qu'il ne soit pas découvert ! J'ai suivi unc histoire, il y a quelques années, dans laquelle un homme avait tué sa maîtresse qui menaçait de parler à sa femme de leur liaison… Il l'a carrément tuée pour cela. Vous vous rendez compte ?

– Mais mon mari n'est pas comme ça ! protestai-je.

– Pas comme ça ? Mais que me racontez-vous ? Vous me dites que vous le croyez tueur en série et voilà qu'en matière de sincérité conjugale il serait irréprochable ? Toute cette histoire me semble évidemment une manière que vous avez trouvée de ne pas voir ce qu'il y a de plus logique. Et le plus logique, c'est l'adultère. Voyons ! Je sais que c'est dur à supporter…

– Avouez que ce que j'ai vu est compatible avec le fait que mon mari soit un tueur en série qui garde les photos de ses victimes comme trophées…

– Oui, mais avouez aussi que c'est un peu tiré par les cheveux ! Il ne faut jamais prendre en considération l'hypothèse la plus complexe quand il y en a d'autres plus simples.

– Non ! Ce n'est pas plus simple qu'un homme préfère se faire traiter de tueur en série plutôt que d'avouer qu'il a eu une liaison avec la victime d'un meurtre ! rétorquai-je, fâchée.

– C'est vrai. Surtout venant d'un homme de son milieu, je vous l'accorde. Je suis en contact avec la police grâce à mon travail. Je connais les gens qui s'occupent de l'enquête du tueur de La Vieille Lune. L'un d'entre eux est un ami. Je peux lui demander s'ils ont quelque chose sur votre mari. Car ils doivent savoir s'il était l'amant de Jennifer Rodriguez. J'essaye de lui poser la question cet après-midi. Bien évidemment, cela restera entre nous, ajouta-t-il en prenant un air des plus sérieux. Autrement je me fais étriper.

– D'accord, murmurai-je, toujours aussi fâchée.

– En revanche je trouve vos premières hypothèses fascinantes. Je vous avoue que j'ignorais que ces phrases venaient de Baudelaire et pourtant j'ai lu *Les Fleurs du Mal* à plusieurs reprises. Et votre profilage me semble remarquable ! Je vais essayer d'en toucher un mot aux policiers. Je suis sûr qu'il leur sera de la plus grande utilité. Ils sont complètement paumés avec cette enquête.

– Franchement, vous savez, je m'en fous qu'on capture le tueur de La Vieille Lune si ce n'est pas mon mari…

– Mais voyons ! Vous vous entendez ? Le seul conseil que je peux vous donner c'est de ne parler de vos théories et de vos soupçons à personne. On vous prendrait pour une folle. Attendez que je vous rappelle plus tard.

Au moment de nous séparer et sans m'en rendre compte, je lui ai fait le plus charmant des sourires. C'est lorsque je lui ai serré la main que l'idée de Facchini s'installa dans mon esprit. Et je dis bien l'idée de Facchini, non Facchini lui-même. Voilà deux manières d'exister pour autrui qui n'ont rien à voir l'une avec l'autre. Et cette idée, hélas, allait devenir la seule lumière qui flamberait, timide et indécise, dans les pénombres de ma vie.

IX

Pendant que je remontais la rue Beaubourg vers la place de la République, j'ai commencé à considérer sérieusement l'hypothèse de l'adultère. J'ai appelé mon mari qui a décroché aussitôt.

– Dis, cette Jennifer n'aurait-elle pas été ta maîtresse et tu me laisses croire n'importe quoi plutôt que de me l'avouer ?

– Je ne t'ai jamais trompée, me dit-il, énervé.

– Dans ce cas, tu es le tueur de La Vieille Lune. Tu préfères cela à l'hypothèse de l'adultère ?

– Je ne suis ni adultère ni tueur en série. Arrête ce cirque s'il te plaît. Tu l'as déjà trop fait durer.

– Et alors cette photo ? Tu peux m'expliquer ce qu'elle signifie ?

– Cette photo n'a pas existé. Ce n'était que Catherine. Combien de fois…

J'ai raccroché avant qu'il ne termine sa phrase. Je me suis soudain demandé si cette double dénégation n'était pas une fin en tant que telle. Je veux dire par là qu'il ne cherchait ni à cacher l'adultère ni à nier qu'il soit un meurtrier en série, mais à me rendre folle jusqu'à me faire interner dans un hôpital psychiatrique. Peut-être était-ce tout ce qu'il voulait. J'ai même envisagé la possibilité qu'il ait fait en sorte que je découvre la photo de Jennifer Rodriguez dans son bureau. Autrement, pourquoi m'avait-il demandé d'y aller voir ?

Quand je suis arrivée à la rue de Bretagne, je me suis assise à la terrasse d'un café. Je serais incapable de dire lequel. Il faisait de plus en plus chaud. Il me fallait respirer. J'ai commandé un Perrier.

Le conseil que Facchini venait de me donner était des plus justifiés. J'avais grand intérêt à me taire. Je n'avais aucune famille pour me défendre. Le cas échéant, mes amis – Pierrette en était la preuve – témoigneraient contre moi. J'en étais sûre. Et si mon mari arrivait à me placer dans un hôpital psychiatrique, il en profiterait pour me voler mes biens et mes écrits. Mais surtout, il réussirait à me faire cesser d'écrire. Il éteindrait ainsi la cause de sa haine envers moi. Il obtiendrait par la force ce que je n'avais pas voulu lui accorder de mon plein gré. Il ne serait plus un mari humilié par sa femme, mais le protecteur dévoué d'une folle.

J'étais si angoissée par mes soupçons que j'ai quitté la terrasse. Il me fallait au plus vite rentrer chez moi, le seul lieu au monde qui me rassurait. Car ma situation était encore pire qu'avant ma rencontre avec Facchini. Certes, je n'avais plus la certitude que mon mari soit le tueur de La Vieille Lune. Mais d'autres hypothèses tout aussi calamiteuses étaient apparues, sans que je puisse adhérer fermement à l'une ou à l'autre. Je ne savais plus pour quelle cause il fallait me battre. Sans compter que le seul fait de le tenter pouvait me coûter d'être enfermée chez les fous. J'étais obligée de divorcer sans savoir qui était mon mari ni ce qu'il avait fait. De divorcer de l'homme que j'aimais.

Dès que j'ai ouvert la porte de mon appartement, une idée saugrenue m'est venue : j'irais chez un voyant. Je n'avais jamais entrepris une démarche de ce type et j'éprouvais le plus grand des mépris envers ceux qui dépensaient leur argent de cette manière. Mais à ce stade, je n'étais plus qu'un pâle souvenir de moi-même.

Il n'empêche que celle que j'étais devenue avait encore assez de lucidité pour faire des objections à la pertinence d'une telle démarche. Ainsi me suis-je demandé ce que je ferais si le devin ne trouvait rien. Combien d'autres voyants irais-je consulter jusqu'à ce que l'un d'entre eux me dise ce que je souhaitais entendre ? Mais qu'est-ce que je voulais entendre au juste ? Même si je ne pouvais pas donner une réponse à cette dernière question – qui était évidemment la principale –, je me suis au moins engagée à respecter coûte que coûte une règle d'or : je n'irais voir qu'*un seul devin*. Et j'irais consulter celui ou celle qui aurait de la place tout de suite. Il m'a fallu rester une bonne demi-heure au téléphone pour en trouver un.

*

* *

Je suis descendue de chez moi et j'ai pris un taxi. Le cabinet se trouvait à Ménilmontant. Cela n'augurait rien de rassurant. C'est ainsi tout au moins que je l'ai vu à ce moment-là, car ce quartier me faisait peur. Quinze ans plus tôt, alors que j'étais étudiante, je m'y étais perdue en pleine nuit. Le métro était fermé et je ne trouvais pas de taxi. Je ne savais même pas comment revenir chez les gens qui m'avaient invitée à dîner pour leur demander de m'aider. Il faisait un froid glacial et je me suis mise à tourner en rond. Un type s'était mis à me suivre. Un jeune homme qui passait m'a sauvée. Il est resté avec moi jusqu'à ce que je trouve un taxi. Depuis, je n'avais jamais remis les pieds dans ce quartier.

Quelques instants avant d'arriver chez le devin, j'ai fermé les yeux et j'ai essayé de me représenter la scène qui allait avoir lieu.

Le sorcier me disait que je m'étais trompée sur tous les plans, que mon mari était innocent et qu'il m'aimait. Voilà pourquoi j'étais là, pensai-je, honteuse. Il était évident qu'une partie de moi se révoltait contre mon intelligence et contre ma détermination. Cette partie de moi qui avait décidé depuis quelques années d'être sourde et aveugle au désamour de mon mari. Mais il était trop tard pour reculer. Il fallait entrer dans le cabinet de voyance et confronter mes désirs pathétiques au regard perçant du sorcier.

C'était un petit local sordide plein de livres de spiritualité qui sentait l'encens. Une vieille secrétaire habillée d'une tunique rose et à la chevelure ébouriffée m'a fait entrer.

– Le prix de la consultation est de cent euros, me dit-elle avec un sourire fatigué.

Je lui ai donné deux billets de cinquante euros et elle m'a demandé de patienter quelques instants. Trois ou quatre minutes plus tard, le voyant est apparu. Il m'a plu tout de suite. Il était petit, brun, mince et homosexuel. Il devait avoir une soixantaine d'années. Et il avait dans son regard tant de gentillesse que j'ai eu de la peine pour lui.

– Venez madame. Par ici, me dit-il, pendant qu'il me conduisait dans une petite pièce sombre et sans fenêtres.

Nous nous sommes assis autour d'une vieille table en bois. Il a aussitôt fermé les yeux et il a eu une sorte d'évanouissement.

– C'est très lourd ce que vous portez, dit-il en se réveillant de son somnambulisme. Puis il s'est mis à sangloter.

Cette mise en scène m'a angoissée et j'ai voulu partir.

– Ne partez pas, s'il vous plaît. Je vous dis ce que je vois, mais je ne connais pas très bien l'ordre des choses. Voilà le problème de mes visions. Et pourtant je sais que cet ordre-là est parfois plus important que les choses elles-mêmes. Je peux voir un événement qui s'est passé il y a dix ans ou ce qui va se passer dans vingt. Tout me vient ainsi. Je vous vois en train de vivre une histoire d'amour avec un homme – je ne sais pas la durée ni l'importance – qui a les mains pleines de sang. Peut-être que cette histoire, vous l'avez déjà vécue, et vous devez être satisfaite d'être toujours en vie. Mais peut-être que vous ne l'avez pas encore vécue. Dans ce cas, vous devez faire très attention. Mais vraiment ! Je vous dis très attention, parce que les hommes comme lui ne respectent personne.

Et il s'est évanoui à nouveau pendant quelques secondes.

– Dites-moi, madame ou mademoiselle, pourquoi je ne cesse de voir une énorme lune qui ne brille plus, une lune sèche et qui pourtant cache le soleil ? Je voudrais voir la lumière du jour et une lune laide m'en empêche.

Ces phrases m'ont terrorisée. Je voulais m'enfuir, mais je n'avais pas la force de bouger de ma chaise.

– Vous partez trop vite, Mademoiselle. J'ai vu aussi que vous faisiez plein de livres. Un en particulier. Je le vois, c'est très bien.

– Les livres cela ne compte pas, lui répondis-je froidement.

– Mais si, pour vous il n'y a que cela. Je veux dire, il n'y a que cela qui compte.

Ces derniers mots m'ont fait du mal, mais autrement que les premiers. Petit à petit je m'y suis accrochée et j'ai tenté d'oublier le reste. Au moment de partir, je n'entendais que cette phrase : « Pour vous, il n'y a que cela. » J'ai marché quelques mètres sans savoir où j'allais quand j'ai vu un taxi. Quand je suis montée, j'étais toujours dans les vapes et j'ai à peine pu donner mon adresse au chauffeur.

Mon portable s'est mis à sonner aussitôt. C'était mon mari, mais je n'ai pas répondu. « Cette séance ne m'a servi à rien », pensai-je.

Une fois hors de cet antre dans lequel j'avais été victime d'une sorte de suggestion, il m'a semblé évident que ce que je venais d'entendre était prévisible. À notre époque, les femmes sont censées être les victimes de leurs compagnons. On ne cesse de leur dire qu'elles doivent s'en méfier. On les pousse même à les dénoncer pour un oui ou pour un non. Sans compter que pour les livres, il n'était pas nécessaire d'être voyant. J'avais donné mon vrai nom à la secrétaire et grâce à Internet elle devait avoir découvert que j'écrivais. La seule chose énigmatique était sa phrase sur la lune et le soleil. « Mais ce sont deux cartes du tarot », me dis-je. La Lune représente la mélancolie, le passé, la tristesse, et le Soleil la joie de la vie. J'avais lu cela dans un roman quelques mois plus tôt. Toute l'intrigue était construite autour de la confrontation entre ces deux forces. C'était facile de dire cela à quelqu'un qui avait des problèmes conjugaux ! Et pour quelle raison serais-je allée le voir sinon pour cela ? Si c'était une maladie je le lui aurais dit ou il l'aurait vu sur mon visage. Il devait savoir grâce à Internet que je n'avais pas de problèmes professionnels. J'ai eu honte d'avoir perdu cent euros et quelques heures dans cette visite stupide.

Les berges du canal Saint-Martin étaient pleines de jeunes qui discutaient, mangeaient et buvaient de la bière. Ils avaient l'air de se réjouir de la chaleur infernale. Et la scène chez le devin m'est revenue. J'ai fermé les yeux et me suis laissé bercer par ses phrases de l'au-delà ou de je ne sais où. Peu m'importait qu'elles ne m'aient servi à rien. Elles étaient douces.

– Allons plutôt à la place Saint-Michel, dis-je au chauffeur.

Je voulais acheter des vieux films chez Gibert. Le cinéma était la seule chose qui pourrait me distraire de mon malheur. Je suis rentrée chez moi vers 18 heures avec une douzaine de films dont *Rebecca*, de Hitchcock, que je n'avais pas vu depuis mon enfance, et *Le Troisième homme*, de Carol Reed. Comme cela faisait presque deux jours que je n'avais rien mangé, j'ai téléphoné à un restaurant japonais pour qu'on m'apporte des sushis. Quand le livreur est apparu vingt minutes plus tard, j'étais déjà en chemise de nuit.

Alors que je regardais *Rebecca* depuis une heure environ, le téléphone s'est mis à sonner mais je n'ai pas répondu. Il a fallu que Facchini appelle trois fois pour que je décroche.

– Il faut que je vous voie tout de suite, me dit-il.

– Vous avez parlé avec les policiers ?

– À quelle heure puis-je passer chez vous ? Vingt et une heures, ça vous va ?

M le Mari

Il était 19 h 30. Je savais que Facchini allait me raconter la vérité. Oui, cette chose affreuse qu'on appelle la vérité. La pire ennemie de l'amour, de l'amitié, de la vie.

X

Facchini a sonné à 21 h 10. Quand j'ai ouvert la porte, mes mains tremblaient en dépit de la chaleur. J'ai à peine osé le regarder.

On s'est installés au salon sans échanger un mot. Il a sorti de son sac une bouteille de vin et l'a déposée sur la table basse.

– Avec quelques verres de vin ce sera mieux, m'a-t-il dit gentiment.

Je suis allée à la cuisine chercher un tire-bouchon et deux verres. J'avais peur et j'avais du mal à respirer. Quelques instants plus tard, nous buvions en silence un vin décevant.

– Allez-y Facchini ! osai-je, enfin. Je vous écoute. Surtout n'ayez pas pitié de moi.

– Comme je vous l'ai dit ce matin, votre mari n'a pas tué Jennifer. En revanche, il avait une liaison avec elle depuis deux ans.

– Quoi ? Une liaison depuis deux ans ? Mais comment ?

Je n'ai pas réussi à finir ma phrase. J'étais si étonnée et si enragée que l'espace d'un instant, je me suis soustraite de mon face-à-face avec mon invité. Je ne pensais qu'à une chose : faire une scène de ménage à mon mari. Immédiatement. Lui téléphoner pour l'insulter à l'instant même. Mais très vite, je me suis sentie si ridicule que j'ai été submergée par la honte.

– Je sais que cela vous fera du mal mais pour vous consoler, ou peut-être pas, je dois vous dire que depuis trois ans votre mari a eu des liaisons avec un nombre incalculable de femmes. Il s'était inscrit sur le site de rencontres Meetic. Jennifer était une maîtresse parmi les autres, mais elle, il la voyait souvent et depuis plus longtemps. La police l'a interrogé jeudi de la semaine dernière, le lendemain du meurtre. Il était le dernier à l'avoir vue. Et pas seulement *vue*. Il avait eu des rapports sexuels avec elle. Son sperme était dans le cadavre, ce qui avait d'ailleurs fait penser un premier temps que le meurtre de Jennifer n'était pas le fait du tueur de La Vieille Lune qui ne viole jamais ses victimes. Le lendemain, votre mari devait partir à Antibes chez sa mère. À vrai dire il n'était pas trop affecté par cette mort, m'a dit mon contact dans la police. Il était juste inquiet à l'idée que vous l'appreniez, voilà tout. Alors que la fille était folle de lui d'après les textos et les e-mails qu'elle lui envoyait. J'imagine un peu la situation. Elle qui était une petite vendeuse avec des velléités intellectuelles était fière de coucher avec un universitaire et, qui plus est, marié à une femme comme vous.

Pendant qu'il parlait, Facchini m'a paru être un serpent dont le seul but était de m'instiller son venin.

– Cela arrive parfois, reprit-il. Un type a une maîtresse qui est assassinée et l'épouse apprend son infidélité par cette voie. Le policier qui a interrogé votre mari a essayé de le rassurer. Vous n'alliez rien apprendre. Il n'y avait aucune raison. Mardi matin, après l'épisode de la photo, votre époux a appelé le même policier. Non seulement vous aviez découvert Jennifer Rodriguez dans son bureau, mais en plus vous aviez l'air très intéressée par le meurtre et par le tueur. Le policier lui a conseillé de vous dire la vérité pour mettre fin à cette situation. Mais vraisemblablement, ce n'est pas ça qu'il a décidé de faire. Il a préféré rentrer à

Paris pour détruire cette photo. Il fallait que vous croyiez que vous vous étiez trompée si jamais vous faisiez le lien entre les photos parues dans la presse et celle que vous aviez vue chez vous.

– Le salaud ! murmurai-je entre mes dents. Le salaud !

Et je sombrai dans un abîme. Je ne sais plus ce que j'ai dit. Je crois que j'ai accusé mon mari de m'avoir fait quelque chose de pire que d'être un tueur en série : de me l'avoir laissé croire.

– Vous savez, d'habitude, les policiers n'ont pas tant d'égards avec l'entourage des victimes. Mais votre mari avait l'air si désespéré à l'idée que vous appreniez sa double vie qu'il a fait de la peine à l'enquêteur. Apparemment, après avoir discuté au commissariat, ils sont allés prendre un verre dehors. C'est rare que cela arrive. Votre mari lui a raconté plein de choses.

– Plein de choses ?

– Oui, dit Facchini d'un air victorieux. Il a parlé de son épouse comme d'une femme avec qui il ne couchait plus depuis des années. Une femme qui était frigide à cause d'un terrible traumatisme qu'elle avait subi et dont il ne souhaitait pas parler. Il lui a dit que s'il vous cachait sa double vie, c'était pour ne pas vous faire du mal. Il s'est présenté comme un bon Samaritain qui essayait de vivre sa sexualité sans blesser l'épouse asexuée et gentille que vous êtes. Bref, des banalités de cavaleur…

– Le salaud ! radotai-je en pleurant pendant que Facchini me prenait la main pour amoindrir le mal qu'il me faisait.

– Il a prétendu que ces infidélités étaient une manière de protéger votre couple. Qu'il n'aimait aucune de ces femmes… ou presque. Vous seule comptiez.

Puis, en me regardant d'un air glacial, il a continué à m'assener ses vérités.

– D'après ce que m'a dit le policier, avant de commencer avec Meetic, il était tombé amoureux d'une femme mariée qu'il avait rencontrée dans un séminaire auquel ils avaient assisté ensemble à la Sorbonne. Et cette femme l'a quitté pour prendre un autre amant. Cela l'aurait dévasté. Il était fou de rage et de jalousie. Il aurait même songé à se suicider. Cela s'est passé il y a un certain temps, un peu plus de trois ans. Or selon mon contact dans la police, il en parle comme si c'était très récent.

– Voilà pourquoi il jurait si fort contre l'infidélité, dis-je, perdue dans mes pensées.

Puis je me suis souvenue de la phrase : « Le sexe est la pire tragédie de l'existence humaine. » Et j'ai su immédiatement qui était cette femme.

Une pauvre fille qui s'appelait Alexandra. Elle avait été la maîtresse de l'un des professeurs de mon mari. Un vieux monsieur qu'il admirait et qu'il enviait parce qu'il avait construit un système philosophique, et que moi j'avais toujours trouvé dégoûtant. Alexandra courait derrière les hommes qui semblaient prometteurs à l'université car elle n'avait rien. Elle n'était rien. Elle était la groupie par excellence, de naissance. Et j'imaginais que pour mon mari, le fait d'être choisi par elle signifiait qu'il était quelqu'un, qu'il pouvait aspirer à devenir un « génie » comme son vieux professeur. Alors, quand elle lui a préféré un autre homme mieux placé que lui, il a dû ressentir qu'il était un raté et qu'il le resterait.

Si pendant tant d'années je n'avais rien vu, à cet instant j'aurais pu décrire l'histoire de mon mari et d'Alexandra dans ses moindres détails. Alors qu'il était piétiné par moi qui le faisais se sentir la femelle du couple, cette fille l'a humilié parce qu'il n'était pas à la hauteur des ambitions imaginaires qu'elle croyait pouvoir réaliser à travers ses amants. Et ma rage a cédé la place à une espèce de peine. Il avait même raté son adultère ! Mes pensées m'ont complètement soustraite de ma conversation avec Facchini. Et j'imagine que mes yeux étaient tournés vers l'intérieur, comme s'ils regardaient mon cerveau et que cela se voyait.

– S'il vous plaît, ne partez pas dans vos pensées, me gronda Facchini avec douceur. Sinon, comment puis-je vous aider à supporter ce que je vous raconte ?

– Vous avez raison, lui dis-je par politesse car je me sentais incapable d'en entendre davantage.

– Comme il ne voulait pas souffrir ni vous faire souffrir, poursuivit-il sans s'occuper de mes états d'âme, il s'est inscrit sur Meetic. Là, il s'est mis à fréquenter des femmes juste pour le sexe. Quand il vous disait qu'il allait travailler à la bibliothèque, il se rendait à ces rencontres galantes. Outre Jennifer, il voyait parfois deux ou trois femmes différentes par semaine.

– En plus de coucher avec moi… précisai-je. Nous avions une vie sexuelle normale…

– Ce n'est pas ce qu'il a dit au policier, m'interrompit Facchini, avec dans la voix une sorte d'ironie qui m'a mise hors de moi.

– Vous aussi vous êtes un sacré salaud, Facchini. À quoi bon enfoncer le clou ? On dirait que cela vous fait plaisir.

– Si vous préférez, je ne dis plus rien. J'ai essayé de vous aider. Voulez-vous que je m'en aille ? J'imagine que vous avez besoin d'être seule et de réfléchir. Ce que je viens de vous raconter, vous le savez bien, c'est banal. Rien de plus banal que d'être mariée à un coureur. Si cela se trouve, vous allez même lui pardonner. Si je me suis permis de vous raconter tout cela, c'est parce qu'il me semblait beaucoup plus dangereux que vous croyiez que votre mari était le tueur de La Vieille Lune. Voilà qui n'est pas banal, en revanche. Imaginez que votre mari ait profité de cette extravagance pour vous faire enfermer dans un hôpital psychiatrique.

– Taisez-vous, s'il vous plaît ! Qu'est-ce que vous en savez ? Comment pouvez-vous dire une chose pareille ? lui criai-je, furieuse, avant d'exploser en sanglots.

Quand je me suis arrêtée de pleurer, le monde n'était plus le même. Facchini ne m'intéressait plus. Rien ne m'intéressait désormais. Mon visage est devenu noir, j'avais du mascara partout. Je suis allée dans la salle de bains pour enlever mon maquillage et recouvrer un visage humain.

– Si vous voulez je m'en vais, proposa Facchini, embarrassé.

– Faites comme bon vous semble. Cela m'est égal, lui ai-je répondu alors que je m'installais dans mon lit. Mais je vais pleurer toute la nuit.

Pendant quelques minutes, je suis restée seule dans la chambre en essayant de me calmer. J'ai cru que Facchini était parti. Puis j'ai entendu :

– Je peux entrer ?

– Faites ce que vous voulez, lui répétai-je, lasse. Je vous l'ai déjà dit.

Il s'est assis par terre dans un angle de la pièce et il m'a regardée en silence. Au bout d'un moment, il s'est levé, un peu désemparé.

– Bon, je vous laisse. Je suis vraiment désolé. J'ai juste voulu vous aider… D'ailleurs, reprit-il, vous avez un rôle à jouer dans l'arrestation du tueur de La Vieille Lune. Cela ne vous consolera peut-être pas, mais quand même. Personne d'autre que vous n'avait compris cette histoire de Baudelaire. J'en ai parlé aux policiers et ils ont déjà fait quelques recherches. Avant que je vienne vous voir, ils m'ont téléphoné pour me dire qu'ils avaient trouvé quelques vers d'« Une Martyre » dans l'une des lettres. Ils étaient éparpillés…

– Vous savez, Facchini, l'interrompis-je, excédée. Encore une fois, je me fous du tueur de La Vieille Lune. Je me fous de Baudelaire et de ses poèmes. Allez-vous-en, s'il vous plaît.

Et c'est là que nous avons entendu le bruit des clés de mon mari dans la serrure. Facchini est sorti de la chambre en direction de l'entrée comme s'il avait quelque chose à se reprocher et moi je l'ai suivi. La situation avait l'air équivoque. Mon mari a cru que Facchini était mon amant. Je l'ai vu dans ses yeux.

*
* *

Je ne me souviens pas comment la bagarre a commencé, mais quelques instants plus tard les deux hommes se battaient dans l'entrée. Je suis restée paralysée. Et puis tout s'est arrêté. Facchini est parti en claquant la porte. Mon mari avait un peu de sang sur les mains. Je me suis rappelé les prédictions perfides du sorcier.

XI

Pendant qu'il pleurait de rage dans la cuisinc, moi je suis restée plantée dans l'entrée de l'appartement. J'étais incapable de bouger. Comme si, pour élaborer une nouvelle interprétation de ma situation, mon corps, mcs gesles et jusqu'à ma respiration devaient rester en retrait de mon cerveau. Car c'est là que des machines stupides se démenaient pour me détruire. Jamais comme cette nuit-là je n'ai pris conscience que mon cerveau ne cessait de comploter avec des forces du monde qui m'étaient hostiles.

« Facchini est venu vers moi cette nuit parce que mon mari l'a énervé, l'a rendu jaloux ou je ne sais quoi encore », me dis-je. Il suscitait souvent la jalousie des autres hommes qui avaient moins de diplômes, de culture et de charme que lui. Facchini devait lui en vouloir depuis qu'ils s'étaient rencontrés chez Fabien. Quand je lui ai demandé de l'aide ce matin, il a dû penser qu'il avait une occasion en or pour se venger de lui. C'était sa seule et unique motivation, j'en étais sûre. Martin Facchini a dû éprouver le plus grand plaisir à casser la gueule de mon mari après avoir mis le feu à notre mariage. C'était un serpent, un démon.

Ma montre me disait qu'il était un peu plus de 11 heures. Quand je suis entrée dans la cuisine, mon mari était appuyé contre le mur et se couvrait la tête avec les bras. Il pleurait doucement et j'ai imaginé qu'il attendait que je lui caresse les cheveux pour le rassurer.

N'avait-il pas déjà payé ? Trouver sa femme avec un autre dans son propre lit – même si ce n'était pas vrai, tout portait à le croire – n'était-il pas une punition suffisante pour ses années d'adultère ? Et pour m'avoir laissée penser qu'il était le tueur de La Vieille Lune, il s'était fait casser la figure par son rival. C'était un autre péché véniel, me dis-je, une conséquence de ses tromperies et de son obsession pour que je ne sache rien. La théorie selon laquelle il cherchait à me faire enfermer m'a paru absurde. C'était le poison que ce petit journaliste avait cherché à instiller dans mon esprit. Et alors que je faisais des efforts pour ne pas serrer mon mari dans mes bras, je me suis dit que c'était très étrange, finalement, le rôle qu'avait joué Facchini. Il avait dénoncé mon mari, mais en même temps il l'avait sauvé.

Mais mon cerveau traître n'en avait pas fini avec les comptabilités conjugales. Maintenant, me dis-je, il faut que mon époux se sente lourdement endetté envers moi. Une fois que je lui aurais avoué qu'entre Facchini et moi il n'y avait rien, il faudrait qu'il se sente coupable et qu'il me promette de ne jamais recommencer. Mais en attendant, cette nuit, je devais me montrer fâchée et le sommer de partir avec l'incertitude d'une éventuelle réconciliation. J'étais obligée de faire des efforts pour qu'il croie qu'il risquait de ne jamais me revoir s'il ne se décidait pas à changer. Combien de temps cela allait-il durer ? Je ne le savais pas. Mais je souhaitais plus que lui, plus que tout au monde, que ce soit rapide. Je ne pouvais pas vivre sans lui, j'en avais eu la confirmation lorsque je l'avais vu se battre avec Facchini. Et le punir en nous séparant longtemps était une manière de me punir moi aussi.

Dès qu'il s'est tourné vers moi, j'ai vu que sa peine était feinte, qu'il était en train de jouer la comédie du mari repenti. Il n'avait pas le visage ravagé par les pleurs ni le regard perdu d'un homme dévoré par le remords.

– Contrairement à ce que doit t'avoir dit ce salopard de Facchini, je suis venu ce soir pour t'avouer la vérité, me dit-il d'une voix sans émotion. C'était horrible de te voir ainsi, désespérée à l'idée que j'étais le tueur… J'aurais voulu venir plus tôt mais j'hésitais. Je ne savais pas très bien comment te l'annoncer. J'ai attendu dans le café d'en face et je regardais vers la fenêtre pour me donner du courage. Soudain, j'ai vu Facchini entrer dans l'immeuble. L'idée que tu me trompes avec lui m'a rendu fou…

– Je ne te crois pas, lui répliquai-je froidement. De toute manière, c'est trop tard. Tu m'auras fait vivre cet enfer pendant trois jours. C'est trop long. En enfer chaque minute vaut de l'or.

– Il te faut décompter cette nuit… Tu n'étais pas en enfer quand tu couchais avec Facchini !

– Tais-toi imbécile, tais-toi ! lui répondis-je dans une élan de fureur incontrôlable. En plus, à cause de toi et de ta surveillance, cette nuit nous n'avons eu le temps de rien faire, mentis-je. Et de quel droit tu me ferais le moindre reproche à ce propos ? Tu n'as pas honte ? Tu n'as pas cessé de coucher…

– Tu as raison. Mais maintenant on est quittes.

– Quittes ? criai-je, furieuse. Comment peux-tu me dire une chose pareille ? Mais laissons cela de côté pour l'instant. Car tes intentions de me faire enfermer étaient pires que tes adultères.

– Mais de quoi tu parles ? Tu penses que je t'aurais laissé croire que j'étais le tueur de La Vieille Lune jusqu'à te faire enfermer ?

– Oui, je le pense, lui répondis-je en prenant un air de défi.

– C'est une invention de ton amant. Il pensait qu'il allait t'avoir en suggérant ça. D'ailleurs, il n'a pas eu tort. Il est rusé, dit-il sur un ton presque admiratif.

Je ne l'ai pas contredit. Je l'ai juste regardé avec un sourire ironique.

– Mais de quoi parle-t-on ? reprit-il, indigné. C'est vraiment incroyable. On dirait que je suis un personnage de roman ou de film et non pas un être humain. Tu penses que dans la vraie vie les gens se font enfermer par leur conjoint dès que la première occasion se présente ?

– Après tout ce que j'ai découvert, je serais prête à penser que tu es capable de n'importe quoi.

– Et qu'as-tu découvert au juste ? J'avais une liaison avec Jennifer tout comme toi tu en as une avec Martin Facchini.

– Tu sais bien que Facchini travaille avec la police. Je sais maintenant pour Alexandra, pour le site de rencontres. Je sais tout.

– Ces saloperies de flics m'avaient promis de ne rien dire ! s'écria-t-il, indigné. Mais il y a une chose au moins dont tu ne peux pas m'accuser. Que tu aies imaginé à partir de la photo de Jennifer que j'étais le tueur de La Vieille Lune, c'est un problème qui te concerne seule. C'est ta manière barbare de gérer ta jalousie… Soit tu te voiles la face comme tu l'as fait pendant toutes ces années, soit tu imagines que je suis non pas l'amant mais le tueur. Seulement, si cette idée saugrenue de tueur en série t'est venue à l'esprit, c'est parce que tu aurais préféré que je tue mes maîtresses au lieu de les garder. Que je tue tes rivales. Que toutes les femmes avec qui j'ai eu envie de coucher, je les aie supprimées. Tu aurais préféré être mariée au tueur de La Vieille Lune qu'à un homme qui te trompe parce que tu n'es pas une vraie femme !

– Ce n'est pas ce que pense Facchini, lui répondis-je, victorieuse.

Alors que si, dans un premier temps, j'allais lui avouer que Martin n'était pas mon amant, la tournure de la conversation m'a persuadée du contraire. Ce mensonge m'a paru le seul stratagème dont je pouvais me servir pour garder ma dignité.

– Le fait que tu aies un amant rend tes soupçons encore plus minables, reprit-il. Tu as désiré le meurtre de tes rivales juste par orgueil. Tu m'en veux parce qu'en te faisant croire que j'étais le tueur de La Vieille Lune, je t'ai montré qui tu étais. Tu n'es pas différente de l'épouse du charcutier, sauf que tu as déguisé tout cela en feignant une sorte d'indignation morale. Tu es même pire qu'elle. Je suis sûr que cette femme ne devait pas avoir d'amant…

– Maintenant tu dis « en te faisant croire que j'étais le tueur de La Vieille Lune ». Tout à l'heure tu me disais le contraire…

– Ce n'est pas ce que j'ai voulu dire. L'important, c'est ta jalousie meurtrière à l'égard des autres femmes.

– Et alors ? Tu voudrais que je te dise : je suis finie, je suis foutue parce que maintenant je sais que les soupçons que j'ai eus ont parlé davantage de mes désirs inconscients que d'une quelconque réalité. Et quel est le contenu de ces désirs ? Que l'homme qui est avec moi tue les femmes avec lesquelles il songe à me tromper. Et à quelle conclusion devrait me conduire une telle découverte ? À ce que je sache que sur ce point je ne suis pas différente de la plupart des femmes qui selon toi sont si ignobles, si dépendantes des hommes qu'elles préfèrent avoir un mari qui soit un tueur en série plutôt qu'un coureur. Tu aurais espéré qu'après cela je te dise : « Je suis foutue parce que je peux divorcer de toi, mais pas de moi. Et moi je suis ignoble, je suis dégoûtée de moi-même. » Mais je vais t'avouer une chose : je ne serais nullement dégoûtée de moi-même pour avoir eu des soupçons à ton égard, même si les désirs inconscients que tu m'attribues étaient vrais. J'ai toujours dit que l'humanité était une espèce dégueulasse. Pour quelle raison serais-je différente de mes congénères ? Même si j'avais souhaité que Jennifer soit morte au lieu d'être ta maîtresse, je ne pourrais pas me mépriser pour autant.

Il me laissait débiter ma tirade en silence, ce qui m'exaspéra et me fit changer de ton.

– D'ailleurs, repris-je, sarcastique, si j'avais pensé ou désiré ce que tu dis à cause de quelque chose que tu m'as fait, je te rendrais responsable d'avoir cherché à me le montrer. Parce qu'il faut être un vrai salopard pour faire ça à quelqu'un. Ceux qui s'acharnent à montrer aux autres leurs bassesses en créant pour cela des situations fictives sont des êtres ignobles. Et je serais encore plus méfiante envers l'humanité, encore plus écœurée par ce dont elle est capable. Peut-être construirais-je à partir de là des théories très intéressantes avec lesquelles j'épaterais un jour mes futurs élèves du Collège de France. Peut-être mon œuvre prendrait-elle un tournant inattendu…

– De toute manière ce que tu écris, c'est du toc. Tu comprends ? C'est du toc. De la merde ! s'écria-t-il avec fureur.

– Et toi, lui répondis-je sans penser – ou peut-être l'ayant trop pensé depuis des années –, toi tu es un nul, un raté, un envieux… Tu seras toujours…

Et je me suis soudain tue. Jamais je ne lui avais dit cela. C'étaient les phrases qu'il ne fallait ni prononcer ni même concevoir. C'était ce qu'on appelle une limite, une frontière. C'était tellement plus grave que de l'avoir accusé d'être un tueur en série. Ne jamais lui dire la vérité était ma délicatesse envers lui. Mon devoir continu et quotidien.

Je l'ai vu se décomposer devant moi. Pire. J'ai été témoin d'une sorte de métamorphose. Mon mari n'était plus l'homme que je connaissais. Il avait les yeux injectés de sang. Et j'ai même cru que ses mains, qu'il venait de laver, étaient elles aussi pleines de sang.

– Je vais te faire taire, salope ! cria-t-il comme un fou.

J'ai eu tellement peur que je n'ai pas pu m'enfuir alors qu'il était encore temps. Car au tout début de cette scène j'étais beaucoup plus proche que lui de l'entrée. Quand il a pris un gros couteau, celui que j'utilisais pour couper la viande, le seul qui existait à la maison, je n'avais toujours pas réagi. J'étais là plantée devant lui dans la cuisine comme si j'attendais la visite de la mort.

XII

Quand je l'ai vu marcher vers la porte d'entrée et la fermer à clé, j'ai compris le danger que je courais. Pourtant, j'étais incapable de bouger. Je sais maintenant que dans cette paralysie funeste, il y avait de la fascination. Et il n'y avait rien d'humain, je veux dire de volonté humaine, dans la résistance faible que j'allais opposer à mon meurtre. C'était un automatisme né du fond obscur du royaume animal. Nous, les névrosés, nous devrions être éternellement reconnaissants qu'il y ait encore dans notre sang quelque chose des singes et des serpents.

Il a pris mon sac que j'avais laissé sur la petite commode de l'entrée et il l'a jeté par la fenêtre de la cuisine. J'ai cru entendre le bruit qu'il a fait quand il est tombé dans la cour intérieure. Cette manœuvre visait uniquement à me déstabiliser car il savait qu'il y avait mon téléphone portable et mes clés. Il avait oublié que je gardais un autre jeu dans ma table de nuit. Mais de toute manière, quelle importance cela pouvait-il avoir ? Il aurait été impossible que je cherche les clés et que je tente d'ouvrir. Cela aurait pris assez de temps pour qu'il m'assène plusieurs coups de couteau.

J'étais toujours là, plantée dans la cuisine, quand il s'est approché de moi avec une détermination d'assassin. Il avait le couteau dans la main droite et avec la gauche, il m'a prise par le bras et il a essayé de me traîner vers la chambre.

Je me suis détachée et j'ai couru vers le salon. J'ai essayé de le calmer en lui parlant, mais il ne m'entendait pas.

– Tu vas aller sur le balcon, me dit-il. Vas-y !

Mais moi je n'allais pas lui obéir. C'était hors de question.

– Va sur le balcon, je te dis ! Autrement je te coupe en mille morceaux avec le couteau. Je m'en fous d'aller en prison ensuite. Est-ce que tu comprends ? Je m'en fous de perdre cette vie de merde, de payer en même temps que toi. Tu vas mourir, c'est la seule chose qui compte pour moi.

Je me suis cachée derrière la porte qui séparait le salon de mon bureau. Je savais que cela ne servait à rien, qu'il pouvait m'atteindre. Je le savais. Je l'ai entendu crier :

– Tu vas aller sur le balcon et tu vas petit à petit te mettre en position de te jeter. Je te donne le choix, soit tu meurs ainsi, défenestrée du sixième étage comme une déprimée qui s'est suicidée, soit sous mon couteau. Mais je te promets que si tu n'es pas une gentille fille je ne t'épargnerai rien avec la lame. Tu vas mourir dans d'atroces souffrances. Tu veux savoir ce que je vais te faire ?

– Non, non ! Je ne veux rien savoir.

Je suis sortie de ma cachette et en traversant le salon je me suis approchée du balcon. J'avais tellement peur de mourir mutilée que je trouvais préférable la défenestration. Mais je savais que si je mourais en me jetant dans le vide, il n'irait pas en prison. On prendrait ma mort comme un suicide et il s'en sortirait victorieux. M'approcher du balcon me permettrait de gagner du temps. Peut-être réussirais-je à le convaincre d'arrêter. Mon mari n'était pas un tueur, j'en étais sûre. Il était blessé à mort. Cette conviction m'aiderait à le persuader d'abandonner, de s'en aller.

– Ce n'est pas toi qui fais ce que tu fais. Tu es un gentil garçon, je le sais. Tu vas déposer le couteau sur la table basse et tu vas t'asseoir. Tu sais bien que je ne pense pas ce que je t'ai dit. Je m'excuse.

– Tais-toi et fais vite ! me cria-t-il. Tu devrais être déjà dans la rue comme un flan sanguinolent et non pas ici. Tu ne ressentiras rien en tombant, alors qu'avec ce couteau…

Je m'approchais de plus en plus de la fenêtre. Et lui aussi. Il marchait vers le balcon.

– Au moins, ne t'approche pas, lui dis-je. Laisse-moi mourir tranquille.

– Je fais ce que je veux.

Mais je ne suis pas restée sur le balcon. J'ai couru sans savoir ce que je faisais vers son bureau. C'était un véritable guet-apens car la porte qui aurait pu me permettre de continuer à lui échapper en tournant en rond dans l'appartement était condamnée. Paralysée de panique, je suis tombée par terre en me couvrant la tête avec les bras pour que les coups de couteau ne m'atteignent pas le visage.

C'est alors que j'ai entendu la sonnerie de la porte d'entrée. Selon les calculs que j'ai faits par la suite, il devait être minuit et demi. J'ai hurlé de toutes mes forces : « Au secours ! » J'ai entendu la sonnerie plus fort et j'ai encore crié : « Mon mari essaye de me tuer ! » Il est allé ouvrir. Je n'ai pas vu sa tête, mais j'ai su que tout était terminé. La sonnerie ne s'arrêtait plus. Puis j'ai entendu la porte s'ouvrir. La voix de Facchini a retenti dans l'appartement. J'ai entendu « Elle est où, votre femme ? » sans pouvoir déceler s'il devinait ou non la situation dans laquelle je me trouvais.

J'ignore ce que mon mari a répondu. Selon ce que Facchini m'a raconté par la suite, il n'avait pas le couteau à la main quand il a ouvert la porte. J'ai trouvé cette chose affreuse le lendemain sur la petite commode de l'entrée, derrière un pot de fleurs. Mon mari était déjà parti quand Facchini m'a découverte, recroquevillée par terre dans le bureau. Je tremblais.

– J'avais oublié mon téléphone portable, me dit-il. Je ne pouvais pas attendre le matin pour le récupérer.

– Vous m'avez sauvé la vie, Facchini, lui répondis-je sans oser le regarder.

Puis je me suis évanouie. Il m'a portée sur mon lit. Quelques minutes plus tard, quand je me suis réveillée, j'ai compris que je ne pourrais jamais prouver la tentative de meurtre. Je n'avais pas la moindre trace de violence sur moi. Mais de toute manière, comme notre mariage était terminé, la vérité n'avait plus le moindre sens. Rien n'avait de sens désormais.

*

* *

Facchini insistait pour que je lui raconte ce qui s'était passé. Au fur et à mesure que je décrivais l'horrible scène – qui ne devait pas avoir duré plus d'une dizaine de minutes –, je me sentais de plus en plus mal. Parfois, loin de nous soulager, parler nous fait perdre notre substance.

– De toute manière on ne pourra rien prouver, m'interrompis-je, énervée. Même vous qui m'avez sauvée, vous n'avez rien vu. Quand vous êtes arrivé, il ne brandissait plus le couteau. Je sais d'ailleurs qu'il a fait une crise de folie. Il ne m'embêtera plus. Il a exprimé dans cette scène toute la haine qu'il a accumulée envers moi depuis des années. Tout est terminé. Je suis sûre qu'il doit avoir honte de ce qu'il a fait.

– Je l'espère pour vous, me dit Facchini. Je peux rester si cela vous rassure. Vous ne voulez pas que je vous emmène quelque part, chez une amie ?

– Il est presque 2 heures du matin, lui dis-je. Je préfère rester ici et dormir. Vous pourriez descendre dans la courette pour récupérer mon sac ? J'ai plein de choses dedans. Puis je vous laisse partir. Je vous dois la vie…

– Mais non, me répondit-il. Vous ne me devez rien. C'était le hasard.

Quand il a prononcé ce mot « hasard », j'ai su qu'il ne croyait pas un mot de mon histoire. Comment cela pouvait-il être possible ? me demandai-je. Et la scène de la veille m'est revenue. Moi lui racontant que mon mari était le tueur de La Vieille Lune et Facchini me regardant avec ironie.

– Mais vous me croyez, n'est-ce pas ? Vous ne pensez pas que j'ai inventé cette tentative de meurtre ? lui demandai-je en espérant me tromper.

– Bien sûr que je vous crois, me dit-il sans aucune conviction. J'aimerais rester avec vous, mais j'ai une réunion importante demain à 8 heures. Il faut que je dorme. Autrement, demain, je ne serai bon à rien.

Après qu'il m'a rapporté mon sac, je l'ai serré dans mes bras et je l'ai remercié avec une certaine émotion. Je l'ai accompagné et j'ai fermé la porte à clé. Puis je me suis endormie comme une bête épuisée par la vaine constance d'un chasseur.

XIII

Le lendemain, je me suis réveillée avec le cerveau anesthésié. Je n'avais dormi que trois ou quatre heures. Je me suis mise à boire des cafés, l'un après l'autre, devant la fenêtre de la cuisine. Le temps était chaud et humide et le ciel annonçait des tempêtes. J'aimais bien que la météo coïncide pour une fois avec mon état intérieur. Rien n'aurait été plus affreux pour moi en ce jour de deuil qu'un soleil ravageur.

J'ai téléphoné pour qu'on vienne changer la serrure de ma porte. L'entreprise m'a promis d'envoyer un employé en début d'après-midi.

Une demi-heure plus tard, alors que je prenais le cinquième Nespresso, quelqu'un a sonné. Je n'ai pas eu le temps d'imaginer qui cela pouvait être : mon mari, Facchini, le tueur de La Vieille Lune, le facteur… À ma grande surprise, j'ai vu Pierrette Adams par le judas et j'ai ouvert.

– Que veux-tu ? Je ne crois pas qu'on ait quoi que ce soit à se dire, lui lançai-je alors que je m'apprêtais à lui refermer la porte au nez.

– Je te supplie de me laisser entrer. Il faut que je te parle. J'ai fait fausse route, je le sais.

Et elle a fini par entrer en se faufilant comme un chat. Elle m'a prise par le bras et elle m'a emmenée gentiment jusqu'à la cuisine. Elle a déposé sur la table un petit sac plein de croissants.

– Assois-toi, dit-elle en prenant un ton maternel. C'est moi qui prépare les cafés pendant qu'on parle… Je te dois au moins ça, ajouta-t-elle.

Dès qu'elle s'est rapprochée de la table avec les deux tasses, elle s'est mise à sangloter.

– Je suis venue m'excuser et te mettre en garde, dit-elle en séchant ses larmes avec un Kleenex.

– Mais de quoi tu parles ?

– De ton mari, bien entendu. Il m'a bien eue. Je lui ai téléphoné mercredi. J'étais vraiment inquiète pour toi. Il m'a dit que lui aussi l'était, qu'il faudrait prendre des mesures pour te faire hospitaliser. Il a prétendu que ce n'était pas la première fois que tu faisais ce type de crise, mais qu'il n'avait jamais voulu en parler, pensant que cela passerait. Il essayait de te convaincre de commencer une thérapie…

– Pourquoi ne pas m'avoir téléphoné à moi ?

– Je ne savais pas quoi faire. Je t'avais vue si mal…

– Raison de plus ! Je te croyais mon amie.

Elle pleurait de plus en plus fort, comme si c'était à moi de la consoler.

– Excuse-moi, dit-elle en se mouchant. Mais s'il te plaît, laisse-moi continuer. Cette horreur ne se termine pas là. Le lendemain matin, il m'a téléphoné pour que je l'aide à te faire hospitaliser. Il cherchait un psychiatre et un avocat spécialisé pour la procédure qu'exige la nouvelle loi.

– Et tu l'as aidé, j'imagine.

– En vérité, je n'ai pas eu le temps. Comme je voulais te revoir pour savoir ce qui se passait, je lui ai dit que je l'appellerais la semaine suivante pour lui donner les renseignements qu'il me demandait. Je voulais venir te voir samedi ou dimanche. Or ce matin il a sonné chez moi à 7 h 30. J'étais sur le point de partir. Il m'a dit qu'il n'avait pas dormi de la nuit, qu'il fallait arrêter tout, qu'il avait fait une bêtise, que tu n'étais pas folle, que je devais lui pardonner. Il m'a tout expliqué et il voulait que je lui promette de ne rien te dire. Je lui ai répondu que je ne pouvais pas. Que tu étais mon amie…

– Et il t'a parlé aussi du couteau ?

– Non, quel couteau ? Il m'a fait une véritable scène de comédien. Il s'est mis à pleurer en prétendant que te faire hospitaliser était pour lui le seul moyen de te garder. Autrement tu n'allais pas lui pardonner ses adultères et son attitude envers tes soupçons. Il m'a dit aussi qu'il t'aimait plus que tout au monde. Je lui ai répondu qu'il était une crapule, qu'il fallait qu'il s'en aille. Dès qu'il est parti, je suis venue.

Et elle a encore éclaté en sanglots.

– Arrête de pleurer s'il te plaît, lui dis-je sèchement. C'est moi qui devrais pleurer, pas toi. Je te remercie quand même de t'être ouverte à moi. Mais maintenant j'aimerais que tu t'en ailles et que tu disparaisses de ma vie pendant un certain temps.

– Tu as raison. Mais ce n'est pas moi le problème, c'est toi et lui. Tu ne peux plus continuer. Ce n'est pas un jeu. C'est très grave.

– Tu n'as pas besoin de me le préciser. Je le sais. Va-t'en s'il te plaît. Je t'assure que tu m'insupportes.

Quand elle est partie je ne ressentais rien, hormis les effluves de parfum qu'elle avait laissés dans l'entrée. Tout elle y était. J'ai pensé que cette femme qui appartenait à la même race que mon mari avait dû être heureuse de pouvoir collaborer à mon hospitalisation. Et elle avait dû se réjouir d'apprendre ce que faisait mon mari, alors que le sien lui restait fidèle comme un chien.

Chacun a le droit d'envier les autres, de ne pas les aimer, voire de les haïr, mais pourquoi, dans ce cas, se lier à eux ? Voilà qui m'avait toujours échappé. Et malgré ce dégoût que je ressentais, je savais aussi que j'allais finir par lui pardonner parce que, en temps normal, je me fous des autres. Je veux dire : qu'ils m'aiment ou qu'ils me haïssent m'indiffère. Ce qui compte pour moi, c'est d'écrire. Le reste n'est qu'une garniture ou un décor. Oui, j'étais sûre quc j'allais lui pardonner.

*
* *

Je suis allée m'asseoir dans mon salon avec une feuille et un stylo et j'ai fait la liste des personnes à qui j'allais téléphoner pour leur annoncer le divorce. Je voulais qu'ils sachent que je m'étais séparée, que j'allais divorcer bientôt, et rien de plus. Certains m'ont dit qu'ils étaient désolés, d'autres ont voulu connaître des détails que j'ai refusé de leur donner. Les plus proches m'ont demandé ce que j'allais faire la semaine suivante car c'était mon anniversaire. Et j'ai répondu : « Rien. » J'ai ajouté que je ne voulais pas être accompagnée. Pour une fois.

Le serrurier est passé pendant que je téléphonais aux uns et aux autres. Le bruit affreux qu'il a fait ne m'a pas empêchée de continuer à discuter. Quand il est parti, j'avais téléphoné à la dernière personne de ma liste. Je me suis sentie légère et presque heureuse. J'ai eu tout de suite envie de m'endormir. La sonnerie du téléphone a mis fin à ma sieste vers 16 heures. C'était Francesca, la seule personne que je n'avais pas réussi à joindre. Elle m'a proposé de venir dîner.

– J'apporte ce qu'il faut, me dit-elle.

J'avais rencontré Francesca cinq ans plus tôt. Elle m'avait fait une interview pour le *Corriere della Sera*. Nous sommes devenues amies. Elle était toujours chaleureuse, anxieuse et élégante. Ce qui me touchait le plus chez elle, c'était la manière qu'elle avait de cacher sa douleur. Je n'ai jamais su d'où elle venait mais elle était toujours là, cette douleur.

J'aimais bien mon amie, mais si je l'ai choisie pour lui dire la vérité ce soir-là, c'est un peu par hasard. Il fallait que je raconte tout, mais à une seule personne. L'idée de répandre une histoire dont la plupart de mes amis douteraient me fatiguait et me faisait peur aussi. Je savais qu'ils ne pourraient pas s'empêcher de penser que j'étais devenue folle. Ce serait un magnifique prétexte pour m'abandonner à mon sort au moment où je serais seule et aurais plus que jamais besoin d'eux. Alors que Francesca était si douce qu'elle ne montrerait jamais ses doutes devant moi. Sans compter qu'elle ne dirait rien à personne, pas même à son mari, de ce que je lui raconterais. Elle me permettrait de reconstituer tout ce qui s'était passé depuis une semaine.

Après avoir raccroché, j'ai décidé de partir à Marseille la semaine du 22 juillet et j'ai réservé une chambre dans un hôtel. Pourquoi Marseille ? Je ne sais pas. C'est la première ville qui m'est venue à l'esprit. Ce qui comptait avant tout était de fuir.

Puis j'ai rédigé un projet de lettre à mon mari plein d'injonctions, de menaces et d'ordres. Pourtant je savais que je n'allais rien lui envoyer. Cette histoire ne pouvait pas se terminer dans un bruit justicier, mais dans le plus piteux des silences. Et pour l'instant, je ne pouvais même pas imaginer une procédure de divorce au cours de laquelle j'aurais à parler avec lui de quoi que ce soit, ne serait-ce que par avocat interposé.

Vers 18 heures je suis sortie acheter du vin. Et aussi des bougies parfumées et de l'encens, comme si j'avais cherché à convaincre la mort de ne plus s'approcher de mon appartement.

*
* *

Francesca est arrivée avec un sac plein de nourriture que j'ai aussitôt mise dans le réfrigérateur. Elle était habillée comme une reine et cela m'a enchantée. Elle était la femme en beige ou du beige. Car chez elle tous les habits devenaient beiges, même les noirs et les rouges ou, tout au moins, ils en empruntaient les reflets. Et loin d'être fades, ses beiges à elle brillaient comme les déserts en plein été.

Dès que nous nous sommes assises dans le salon, j'ai ouvert une bouteille de bourgogne et je lui ai tout raconté. Jusqu'au moindre détail.

– C'est curieux, dit-elle en allumant une cigarette. Aussi bien sa tentative de meurtre que l'hospitalisation forcée, il ne les a pas préméditées. Je suis sûre que dans les deux cas, l'idée lui est venue sur le coup.

– Je le crois aussi. Mais cela ne change rien.

– Je ne sais pas. Peut-être oui, peut-être non. Les personnes qui préméditent un acte grave ont plus de temps pour revenir en arrière, pour bien réfléchir. Alors que ton mari a agi sur un coup de folie…

– Il est terriblement maladroit, c'est certain, ai-je admis. Mais il serait absurde de trouver quelqu'un moins coupable parce qu'il est un criminel inefficace. Ce serait faire de la maladresse une circonstance atténuante. Et moi qui ai cru que j'étais mariée au tueur de La Vieille Lune ! Un individu d'une grande habileté, méthodique, capable de tromper la police avec l'astuce du diable. Alors que mon époux est un émotif, un impulsif, un piètre organisateur…

– En effet, il n'est pas ce que l'on pourrait appeler un as du crime, dit Francesca en riant. Il est très paumé et très désespéré, et à mon avis il doit être mort de honte à l'heure qu'il est.

– C'est sûr, lui répondis-je, perdue dans mes pensées. Je crois que l'une des raisons qui m'ont conduite à croire qu'il était le tueur en série était l'espoir qu'il allait toujours m'épargner comme si j'étais pour lui un trésor intouchable. J'ai voulu penser qu'il s'en prendrait aux autres femmes mais jamais à moi… C'était une manière de m'accrocher à l'idée qu'il m'aimait… Alors que cela fait des années qu'il ne m'aime plus, des années… ajoutai-je avec tristesse.

– Je ne crois pas qu'il ait été très gentil avec ses maîtresses non plus. D'après ce que t'a dit Martin Facchini, il s'en foutait que l'on ait assassiné Jennifer Rodriguez.

– Oui, je sais. Mais il n'a pas essayé de la tuer ou de l'enfermer…

– Mais toi tu l'as humilié. On se le disait souvent avec mon mari et avec Fabien. À côté de toi, il n'avait pas la moindre existence…

– Mais Alexandra aussi l'a humilié, et il ne s'en est pas pris à elle !

– Tu ne sais rien sur la fin de leur histoire ! Il est possible qu'elle l'ait quitté sans l'offenser, qu'elle ne l'ait pas mis en colère au moment de rompre. N'oublie pas que la scène d'hier était une réaction à vif contre ce que tu lui as dit ! Je suis certaine que dans quelques années tu vas lui pardonner.

– Ma très chère, ne comprends-tu pas que c'est déjà fait ? dis-je sans réfléchir. Je parle bien sûr de la tentative de meurtre et d'hospitalisation. En revanche, je n'arrive pas à lui pardonner d'avoir cessé de m'aimer…

– Ne t'inquiète pas, tu trouveras quelqu'un d'autre qui t'aimera…

– Jusqu'au moment où il cessera de m'aimer à son tour ! répondis-je en riant. Tu sais ? Hier, en plein milieu de cette confusion, j'ai consulté un voyant.

– Toi ? Un voyant ?

– Eh oui ! C'est dire à quel point j'étais désespérée ! C'est un type fascinant. Et d'une telle gentillesse !

– Et alors ? me demanda-t-elle, impatiente.

– Sur le coup, j'ai cru qu'il avait dit n'importe quoi. C'est après la scène d'hier avec le couteau et celle de ce matin avec Pierrette que j'ai compris. Il m'a dit qu'il voyait à côté de moi un homme aux mains couvertes de sang : j'ai repensé à la bagarre de mon mari avec Facchini. Comme Martin l'avait frappé à maintes reprises, il l'a fait saigner. J'ai cru voir qu'il avait plus de sang sur les mains que Facchini sur le visage. Et le voyant m'a dit aussi de faire très attention, que c'était quelqu'un de dangereux. Puis il m'a demandé : « Dites-moi, mademoiselle ou madame, pourquoi je vois une Lune laide cacher le Soleil ? » J'ai d'abord cru qu'il faisait allusion aux cartes du tarot. Maintenant je suis sûre qu'il a voulu me dire autre chose. Il a cherché à me mettre en garde. À me dire que le fait de me préoccuper du tueur de La Vieille Lune pouvait être un piège. C'est parce que je m'intéresse à ce malade qui ne va jamais me toucher que je néglige le danger que représente pour moi mon mari qui, lui, risque vraiment de s'en prendre à moi.

– En effet. Ton interprétation me semble parfaite. Comme s'il y avait deux histoires parallèles, qui s'entrecroisent et qui empêchent qu'on les comprenne. Et qu'est-ce qu'il t'a dit d'autre ? Il t'a parlé d'un nouvel amour dans ta vie ?

– Non, il m'a juste parlé de mes livres. Il m'a d'ailleurs affirmé qu'il n'y a que cela qui comptait pour moi.

– Pourtant je te vois bien tomber amoureuse à nouveau. Il faut juste que tu attendes un peu, que tu oublies ton mari.

– Sûrement, lui répondis-je sans conviction, pendant que j'ouvrais la deuxième bouteille de vin.

– Et dis-moi, qu'est-ce que tu vas faire samedi prochain pour ton anniversaire ?

– Rien. Le soir, j'irai voir un vieux film à l'Action Christine. En cc moment il y a un cycle sur le néoréalisme italien. Comme ça, j'oublierai que j'ai quarante ans et que bientôt je serai sur la touche !

– Quarante ans, murmura Francesca en souriant. J'ai deux ans de plus que toi…

– Mais toi tu es heureuse, voilà la différence.

– Et comment tu le sais ? répliqua-t-elle avec un certain agacement. Juste parce que je vis avec Luigi ? Ce n'est pas suffisant pour être heureuse ! Pas du tout. J'aimerais bien avoir une vie professionnelle aussi intense et prolifique que la tienne.

– Mais si ça te coûte tout le reste, est-ce que cela a un sens ? Franchement, avant de m'embarquer dans cette existence studieuse, j'ignorais qu'il fallait que je reste modeste si je voulais garder mon mari. Je ne savais pas qu'il fallait choisir, parce que les hommes ne supportent pas qu'une femme soit si engagée…

– Ce ne sont pas seulement les femmes comme toi que les hommes n'aiment pas, m'interrompit-elle. Regarde le tueur de La Vieille Lune et tous les autres malades de ce type. Ils s'en prennent aux paumées.

– Mais entre moi et les paumées dont tu parles, il y a des situations intermédiaires…

– Tu aurais préféré avoir une vie professionnelle plus modeste et être heureuse en couple ?

– Non, lui répondis-je. Mais je trouve insupportable d'avoir à choisir. C'est franchement dégoûtant, et…

Francesca m'interrompit, à nouveau agacée.

– Je vois que tu ne t'entends pas parler ! Parfois ta naïveté envers toi-même est désarmante, voire énervante. Toi tu n'es pas quelqu'un qui vit en choisissant ceci ou cela comme si tu étais dans un supermarché. Toi tu as une passion pour la recherche, la pensée, l'écriture et tu dis toi-même que tu n'aurais pas pu choisir une autre vie. Donc de quoi te plains-tu ? Alors que la plupart des gens ont un rapport très immédiat et très fondamental aux autres, pour toi le centre de ton existence est cette activité à laquelle tu te consacres comme une religieuse. C'est pourquoi tu la fais si bien. Mais cela pose un problème avec toutes les formes de la sociabilité. On ne pardonne pas aux gens qui vivent dans leur monde à eux. On a le sentiment qu'ils nous insultent.

Puis, adoucissant le ton, elle reprit :

– C'est vrai que si tu avais été un homme, cela aurait été plus facile. Il n'y aurait pas eu cette histoire de l'humiliation qu'éprouvent les compagnons des femmes comme toi, mais il aurait eu quand même d'autres emmerdes. C'était le cas de mon père. Il était mathématicien et ses recherches étaient franchement la seule chose qui comptait pour lui. Non qu'il ne nous aimât pas. Mais il vivait ailleurs. Quand j'étais enfant, j'attendais qu'il descende de ses limbes pour être un peu avec moi. J'avais tout le temps le sentiment qu'il était là, mais loin de moi, loin de tout. Et ma mère a beaucoup souffert elle aussi.

– Tu ne m'en avais jamais parlé.

– Qui sait ? Peut-être attendais-je un moment comme celui-ci pour te parler de mon père. Autrement tu n'aurais pas compris ce que j'ai ressenti pendant tant de temps. La première fois que je t'ai rencontrée, tu m'as fait penser à lui.

Il était presque minuit quand nous avons compris que nous avions bu deux bouteilles de vin et que nous avions oublié de manger les délices italiens que Francesca avait apportés. Cela nous a fait rire et j'ai prié mon amie de ne laisser aucune nourriture chez moi car elle pourrirait. Avant qu'elle ne s'en aille, je lui ai annoncé que je partirais à Marseille le lundi ou le mardi de la semaine suivante.

– Je peux venir arroser tes plantes, si tu veux.

Francesca habitait rue de la Grange-aux-Belles, à dix minutes à pied de chez moi. Je lui ai donné les nouvelles clés de l'appartement en la remerciant d'être une amie si fidèle. Elle est partie un peu après minuit et je me suis endormie dans un calme si parfait qu'il en était presque étrange.

XIV

Le lendemain matin je suis allée à la gare du Nord achcter les billets de train pour Marseille. Comme il faisait beau et frais, au lieu de rentrer chez moi, je me suis arrêtée à une terrasse du boulevard Magenta et j'ai lu *Libération* et *Le Figaro*. Vers 12 h 30 j'avais faim et je suis allée manger dans un petit restaurant japonais de la rue de Paradis. Je savais qu'il me fallait penser à téléphoner à mon avocate pour préparer le divorce. Mais c'était tellement désagréable d'y penser que je me suis dit que j'allais m'occuper de ces démarches à mon retour.

À peine étais-je sortie du restaurant que mon téléphone s'est mis à sonner. C'était Édouard, un vieil ami de mon mari chez qui il était allé se réfugier en attendant de louer un appartement. C'étaient les premières nouvelles que j'avais depuis notre séparation. Édouard voulait passer chercher des affaires « essentielles » : des dossiers, des livres et quelques vêtements. Je ne pouvais que m'en réjouir.

J'ai marché lentement jusque chez moi en profitant d'un soleil frais qui m'a fait penser aux joies lointaines de ma jeunesse. Lorsque j'ai été à environ cent mètres de mon domicile, j'ai vu un véritable attroupement à côté de mon immeuble. Il y avait des voitures de police, des curieux, des voisins.

– On vient de trouver le cadavre de Louise Turin, me dit, bouleversé, le vendeur de journaux. Elle avait dix-sept ans. Il semblerait que ce soit une fois de plus le tueur de La Vieille Lune. C'est horrible.

Pour la première fois, j'ai eu peur d'être assassinée par cette crapule. Je suis montée chez moi en courant et j'ai allumé la télévision. J'ai vu la photo de la jeune fille. Je ne l'avais jamais aperçue dans le quartier. Elle avait l'air d'une enfant. Le commissaire Louis Martial parlait aux journalistes dans une conférence de presse improvisée. Le tueur avait averti la police de la présence du cadavre au 45 du boulevard Magenta. Le commissaire ne pouvait pas donner davantage d'informations, cela risquerait de compromettre l'enquête. Il est sympathique ce Martial, me dis-je. Il était gros et un peu abîmé par l'âge, mais il y avait une vraie gentillesse dans son regard.

Sur une autre chaîne on entendait le ministre de l'Intérieur faire des déclarations tonitruantes. Deux députés de droite dénonçaient le laxisme du système judiciaire et les barrières qu'il mettait à la police. J'étais franchement énervée par ces déclarations. De quel laxisme, de quelles barrières parlaient-ils ? C'étaient les policiers qui étaient incompétents. Ils n'avaient même pas vu que le tueur s'était servi des vers de Baudelaire ! Que pouvait-on penser des autres aspects de l'enquête ? Quelles bourdes avaient-ils dû faire en plus pour ne pas avoir encore capturé ce malade ? Au lieu d'avoir l'air gentil, le commissaire Martial gagnerait à avoir quelque chose dans le crâne.

Sur une autre chaîne encore, on entendait le témoignage de la mère de Louise Turin et de l'un de ses frères. Au fur et à mesure que les images et les témoignages s'accumulaient dans ma tête, mon angoisse montait. Pourtant, je n'avais rien à voir avec le profil des victimes. Rien. Elles étaient toutes jeunes. C'étaient de pauvres filles. Et hormis Louise Turin, toutes étaient blondes. C'est ce « hormis » qui m'inquiéta. Peut-être la prochaine aurait-elle quarante ans et serait brune ? Peut-être que ce serait moi…

J'ai songé à avancer mon voyage à Marseille. Je pourrais partir le lendemain, dimanche. Et j'y passerais l'été au lieu de rester quelques jours. D'ici là, la police aurait peut-être fini par capturer ce cauchemar. L'important était d'aller quelque part pour oublier le tueur et aussi mon mari.

Lasse de tisser des hypothèses et d'avoir peur, j'ai fini par prendre une décision surprenante. J'allais commencer à rédiger le livre que j'avais promis à mon éditeur. J'avais fini mes recherches en mai, tous mes dossiers étaient prêts. J'avais même le titre. Je me disais que si je réussissais à me concentrer, rien ne pourrait m'atteindre, pas même le tueur de La Vieille Lune.

Je me suis assise devant mon ordinateur et j'ai fait des efforts pour lire mes dossiers, mais je ne comprenais rien. Je me suis levée et j'ai rallumé la télévision pour écouter des informations sur le tueur, mais il n'y avait rien de nouveau. On repassait de chaîne en chaîne les mêmes informations. Le mieux serait de téléphoner à Facchini, cette espèce de mégère indiscrète qui devait être au courant de tout. Mais il était sans doute très occupé à préparer ses papiers pour le lendemain.

Comme je ne pouvais plus rester chez moi, j'ai décidé d'aller faire un tour. J'ai pris un livre que j'ai mis dans mon sac et, comme je m'apprêtais à ouvrir la porte, mon téléphone a sonné. C'était Facchini.

– J'imagine que vous êtes au courant. Mais n'ayez pas peur. Vous n'êtes pas le type du tueur de La Vieille Lune.

– Ces choses-là peuvent changer ! lui répondis-je, morte d'anxiété.

– Vous n'avez qu'à ne pas ouvrir la porte sans regarder qui c'est, dit-il sur un ton paternel. Ne voulez-vous pas qu'on prenne un café ? Je suis au journal et je m'apprêtais à sortir.

– Avec plaisir, dis-je un peu machinalement, car l'idée de le revoir ne m'enchantait pas.

*

* *

Il m'a donné rendez-vous à 18 heures à l'une des terrasses qui entourent le square du Temple. Je suis arrivée un peu avant et j'ai commandé une bière pour me détendre. Mais dans ce quartier, l'air est toujours si doux à cause des arbres que dès que le serveur a pris ma commande je me suis sentie plus calme. Facchini a raison, me dis-je. C'est absurde d'avoir peur du tueur de La Vieille Lune. D'ailleurs, comment s'en protéger véritablement ? C'est impossible. Cesse-t-on de prendre des avions ou de rouler en voiture parce qu'il y a des accidents mortels ? C'est tellement mince, la possibilité d'être la proie d'un tueur en série, qu'il vous ait choisie, vous, parmi des millions des personnes qui peuplent la ville ! Le risque qu'on court d'être assassiné est comparable à celui de gagner au Loto. Être la proie d'un tueur en série est le Loto des perdants, voilà ce que je venais de découvrir. Et le fait qu'il ait tué deux femmes dans le quartier, au lieu de rapprocher le danger, l'éloignait. Sauf bien entendu s'il avait décidé de ne chasser que dans ce coin, ce qui serait absurde de sa part. Cela permettrait de le capturer plus vite.

Facchini est arrivé, les traits tirés comme s'il n'avait pas dormi de la nuit, mais avec un immense sourire aux lèvres. Il était vêtu d'un jean et d'un tee-shirt bleu foncé.

– Vous êtes resplendissante.

– Merci Martin ! Je devrais vous embaucher pour me remonter le moral.

– Il y a plein de nouveautés dans le dossier, me dit-il à voix basse. Je ne voulais rien vous dire au téléphone parce que je n'ai pas le droit de dévoiler certaines informations… Autrement les flics ne me parleraient plus.

– Ils ont des pistes ?

– Oui, plus que des pistes. Ils ont un suspect. Mais on ne peut rien savoir tant que les tests ADN ne sont pas faits. Cela prend du temps. Je voulais vous le dire pour vous rassurer.

– Vous êtes gentil, mais je suis déjà rassurée. Je suis arrivée à la conclusion qu'il m'était pratiquement impossible de devenir la proie du tueur de La Vieille Lune. Mais savez-vous quelque chose à propos du suspect ?

– Je ne peux rien vous dire de plus pour l'instant. Mais sachez que vos hypothèses ont été précieuses.

– Peut-être faudrait-il que je devienne profileuse, dis-je avec un sourire anxieux.

Et soudain j'ai eu envie de pleurer. Je pensais à mon mari. En dépit de tout ce qu'il m'avait fait, j'étais désespérée de l'avoir perdu. Les sentiments que nous cherchons à fuir sont ainsi : dès que nous faisons preuve de la moindre distraction, ils nous explosent à la figure.

– C'est comme ça quand on divorce, dit Facchini, songeur, comme s'il avait deviné mes pensées. C'est terrible, on perd complètement la boule. Surtout quand les choses se passent aussi mal…

Mais je l'écoutais à peine. J'étais tombée dans un puits de mélancolie.

– Moi, j'ai divorcé il y a trois ans. Cela faisait quatorze ans qu'on était mariés. C'était ma faute mais cela a été dur quand même. J'avais rencontré une autre femme qui était mariée, elle aussi. Nous avons eu une relation clandestine pendant deux ans. Puis j'ai voulu divorcer pour vivre avec elle. Nous l'avions décidé ensemble. Elle aussi devait quitter son mari. Mais à la fin, elle est restée avec lui. Il était riche, lui. Elle n'a pas pu accepter de perdre son niveau social pour moi. Résultat : j'ai divorcé de mon épouse qui a failli se suicider quand je lui ai annoncé que je la quittais, et je suis resté seul. J'ai souffert de la trahison de l'autre femme pendant longtemps. Je souffre encore, ajouta-t-il avec un sourire nerveux.

– Je suis désolée. Je ne savais pas. En fait, je ne sais rien sur vous. Chaque fois qu'on s'est parlé, c'était chez Fabien. Et puis il y a eu mes soupçons. Je n'ai pas eu le temps de vous connaître.

– Nous avons pas mal de choses en commun… dans nos ruptures sentimentales tout au moins. Il y a ceux qui se séparent autrement. La relation s'épuise, ils se disputent, ils n'ont plus envie de coucher. Mais quand on vous fait une énorme saloperie, on casse quelque chose de délicat en vous. On vous empêche d'aimer à nouveau. C'est terrible.

– Pourquoi ne marcherions-nous pas jusqu'à la Seine ? La soirée est belle. On pourra parler.

Facchini est entré dans la brasserie pour payer nos verres. Quand il m'a retrouvée dans la rue, il avait l'air si heureux que je me suis un peu inquiétée. Je ne voulais pas qu'il pense quoi que ce soit d'ambigu me concernant. Il ne me plaisait pas et il ne me plairait jamais. Je ne sais pas s'il a deviné ce que je pensais, mais il a tout de suite changé. Il n'était plus si enjoué.

– Vous avez lu les lettres du tueur de La Vieille Lune ? lui demandai-je.

– Oui, la plupart.

– Quelle chance vous avez ! J'aurais vraiment aimé lire la littérature de ce dingue.

– Vous voyez ? Le moral vous est revenu en parlant du tueur. Ce salopard ne se contente pas de semer la mort. Il peut provoquer des effets positifs chez des femmes exquises…

Et c'était vrai. Ma crise de mélancolie était passée. La soirée était divine. Nous descendions la rue Vieille-du-Temple entourés de grappes de touristes qui s'embrassaient.

– Vous les lirez bientôt, ces lettres, me dit-il en me regardant droit dans les yeux. C'est sûr. Mais il faudra attendre le procès si celui qu'ils ont arrêté est le bon. Là on aura un déferlement de poésie et le dingue, comme vous dites, sera aux anges. Sinon, s'ils se sont gourés encore une fois et si ce type n'est pas le tueur, il vous faudra vous armer de patience pour contempler enfin cette œuvre.

– Quelle impression vous ont donnée ces lettres ?

– Elles sont plutôt bonnes, même si la police n'a pas assez de cervelle pour s'en rendre compte. Ce type a un côté génial, c'est indiscutable. On voit qu'il suit un protocole artistique, qu'il s'y tient avec rigueur et méthode.

Quand on est arrivés rue Malher, je lui ai demandé s'il ne voulait pas manger quelque chose.

– Je n'ai plus d'argent, me dit-il. Ni de carte bleue.

– Moi, j'ai les deux !

Nous sommes allés dans un restaurant corse de la rue du Roi-de-Sicile et nous nous sommes assis à l'une des trois petites tables de la terrasse. Facchini m'a parlé de son travail et un peu aussi de sa vie. Il était aussi complexé que maladroit : il cherchait à se présenter comme un être extraordinaire et talentueux alors qu'il était quelconque. D'une certaine manière, cela m'a attendrie. Je ne sais pas si c'était le vin, mais petit à petit je l'ai trouvé plus séduisant qu'au départ. Je ne voyais même plus ses oreilles décollées. Je ne pouvais pas dire qu'il me plaisait, mais il se donnait vraiment du mal. Cela m'a touchée.

Nous avons quitté le restaurant vers minuit. J'ai pris un taxi, Facchini a décidé de rentrer à pied. Au moment de nous séparer, il n'a pas commis l'indélicatesse de chercher à m'embrasser.

XV

Le lendemain matin j'étais de bonne humeur pour la première fois depuis plusieurs semaines. Si je fermais les volets et réussissais à faire en sorte de ne pas avoir trop chaud, je pourrais peut-être me mettre à travailler. Je ne pensais plus au tueur de La Vieille Lune et j'ai préféré ne pas acheter les journaux. Cela me distrairait. J'ai réussi à écrire pendant quelques heures et j'étais plutôt contente du résultat.

Vers 14 heures, Fabien m'a téléphoné pour m'inviter à prendre un verre chez lui. « Pour oublier que c'est dimanche », a-t-il dit. Je suis arrivée deux heures plus tard. Il y avait Denis et aussi une amie de Fabien, Suzanne, qui travaillait dans le même journal que lui. Tout le monde était en maillot de bain sur la terrasse. Comme ils parlaient peu, je me suis sentie obligée d'animer la conversation, ce qui m'épuise et me rend anxieuse.

J'ai profité du moment où Fabien est allé chercher des Coca dans la cuisine pour converser en tête-à-tête avec lui. Bien évidemment, je voulais lui demander des renseignements sur Facchini.

– Je t'avoue que ce type m'intrigue, lui dis-je. Il est si bizarre…

– Il est terriblement prétentieux. Trop imbu de sa personne.

– Mais c'est pour se protéger. Il doit t'envier parce que tu es riche.

– Peut-être. Je n'y avais pas pensé. J'imagine que tu dois avoir discuté avec lui sur le tueur de La Vieille Lune. Il est obsédé par ces meurtres.

– C'est normal. C'est lui qui couvre cette affaire pour son journal. Tu as connu sa femme ?

– Non, jamais. J'ai rencontré l'autre, celle qui n'a pas voulu partir avec lui. Elle était charmante. Une fille assez simple mais charmante. Il est venu une fois ici avec elle. Mais cela fait un moment. Je te conseille de ne pas songer à une aventure quelconque avec lui. Tu te retrouveras dans le même cas de figure qu'avec ton mari. Sauf que Facchini est cent fois plus mesquin et plus bête.

– Que veux-tu dire au juste ?

– Il est jaloux des écrivains et des universitaires qui ont un peu de succès. Tu imagines s'il avait une liaison avec toi ? Il chercherait carrément à t'assassiner, dit Fabien en riant.

J'étais stupéfaite.

– Pourquoi ? lui demandai-je en essayant de dissimuler mon malaise. Tu l'as déjà entendu dire du mal de moi ou de mon travail ?

– Oui, je l'ai entendu dire une vacherie, mais il y a quelques années. C'était à l'occasion de la sortie d'un de tes livres. Je ne me souviens pas duquel. Mais je l'ai entendu dire du bien aussi. Il est comme ça, Facchini. Il défend les gens qui ont du succès, à condition qu'ils n'en aient pas trop.

– De toute manière, je n'ai jamais songé à avoir une aventure avec lui. Je considérais seulement l'hypothèse qu'on devienne amis parce qu'il est très gentil avec moi…

– Je ne te le conseille pas non plus. Il est impossible d'être l'ami de Martin Facchini. Il est inaccessible, trop méfiant, trop secret.

Loin d'écouter Fabien, j'ai mis ses opinions sur le compte de son caractère acariâtre. Et si Facchini avait pu dire du mal de moi, c'était parce qu'à l'époque il ne me connaissait pas. Lorsque nous sommes revenus sur la terrasse, j'avais déjà effacé ses propos de ma mémoire.

La présence de Suzanne – qui était inhibée et un peu sourde – empêchait qu'on discute de quoi que ce soit. Sans compter que comme d'habitude, Fabien parlait avec elle de gens que Denis et moi ne connaissions pas. Comme je m'ennuyais, je suis allée m'asseoir dans le salon sous prétexte de prendre congé du soleil. Quelques instants plus tard, Denis m'a rejointe. Nous avons conversé de tout et de rien jusqu'à ce qu'il me parle d'un projet d'analyse du crime par les rêves.

– Un psychologue de l'université de Sydney vient de monter un programme des plus fous, me dit-il, enthousiaste. Dans la psychanalyse, les rêves sont censés parler de l'inconscient du rêveur. Alors que lui, ce psychologue, prétend qu'il s'agit d'un mauvais usage des rêves qui parlent avant tout de la société, de ses contradictions, de ses efforts pour masquer certains aspects du monde. Car selon lui, il y a une différence entre le monde et la réalité. Le premier est énorme et chaotique. C'est de là qu'une société extrait certaines données pour produire ce qu'elle appelle la réalité. Le reste, elle le refoule, le cache, fait comme s'il n'existait pas. Si elle ne faisait pas cette opération, la réalité ne tiendrait pas la route. Les rêves parlent de ça. De ce que la société doit cacher pour continuer à être ce qu'elle est. À se dire que la réalité n'est pas une invention mais quelque chose de solide, de naturel, d'évident. Ce professeur part de l'hypothèse, déjà énoncée par Edgar Poe, qu'il n'y a aucun problème qu'un humain ait créé qui ne puisse être découvert par d'autres humains. Il prétend que s'il y a des crimes non élucidés, et ce pendant des années et parfois pour toujours – comme ceux de Jack l'Éventreur –, ce n'est pas parce que les enquêteurs manquent d'intelligence. C'est juste qu'il y a des choses qu'ils ne peuvent pas voir, car cela menacerait notre manière de construire la réalité. C'est un peu comme une femme ou un homme trompé par son conjoint et qui ne veut pas comprendre ce qui se passe. Il voit des choses incongrues, mais ne parvient pas à donner un sens à ce qu'il perçoit. La société fait de même, et notamment les gens qui enquêtent sur certains crimes. Alors que les rêveurs ont accès à ces mystères parce que leur esprit est moins surveillé…

– Et comment pense-t-il se servir de cela concrètement ?

– Il a monté des groupes de rêveurs inspirés dans un laboratoire de l'université. Ce sont des gens qui n'ont pas une compétence spécifique en quoi que ce soit. Pendant la journée on les soumet à des informations sur un crime, à des rafales de renseignements. Les policiers qui sont intervenus racontent tout, jusqu'aux choses les plus insignifiantes. Puis ces gens s'endorment et quand ils se réveillent ils sont priés de raconter leurs rêves. Cela peut durer plusieurs jours. Chaque matin, le professeur les interprète. Les résultats sont vraiment étonnants…

– C'est-à-dire ?

– Figure-toi qu'ils ont pu capturer un criminel en série qui avait tué plus de dix personnes en Australie.

À cet instant, Fabien et Suzanne sont entrés et je n'ai pas pu terminer cette fascinante conversation. Denis est allé chercher des sandwichs au saumon et nous avons mangé en parlant d'un film qui venait de sortir et dont Fabien connaissait le réalisateur. Je me suis ennuyée comme un rat. À 19 heures, j'étais de retour chez moi.

J'ai écrit jusqu'à minuit dans un état de concentration si parfaite qu'avant de me coucher j'ai songé à annuler le voyage à Marseille. Même si je partais, je ne pourrais m'empêcher de travailler. Or nulle part ailleurs que chez moi je ne me sens aussi bien pour écrire.

XVI

Le lendemain matin, alors que j'étais devant mon ordinateur en train de répondre à quelques mails, Facchini a téléphoné.

– Je voulais savoir comment vous alliez.

– Très bien, merci. J'essaye de travailler. J'ai commencé la rédaction d'un nouveau livre. J'espère continuer ainsi.

– Cela vous dirait qu'on dîne ensemble samedi prochain ? Sauf si vous vous êtes rabibochée avec votre mari…

– Je ne suis pas aussi folle. Comment avez-vous pu penser une chose pareille ?

– Je ne sais pas. Les couples sont des entités étranges. Parfois on se pardonne l'impardonnable.

– C'était la fin de notre histoire. Voilà comment il fallait que cela se passe. Il fallait sept jours pour détruire sept ans. Mais c'est fait. Maintenant il faut que le temps passe. Je finirai par oublier.

– La déprime vient après. Les six premiers mois après une séparation on va bien, on se sent libéré d'un poids. On a le sentiment que l'on est un héros. Puis quelque chose d'horrible vous tombe sur la tête. Un jour, on ne sait pas pourquoi, on se dit qu'on préfère mourir.

– Vous avez beaucoup souffert et cela vous a fait du bien, dis-je.

Il y eut un silence.

– Souffrir ne fait jamais du bien, asséna-t-il. Cela vous rend méchant, oui. Terriblement méchant.

– Mais Martin, je vous assure que vous n'avez pas l'air d'être méchant !

– Vous ne me connaissez pas encore, répondit-il, presque furieux. Alors, pour samedi ? Je réserve quelque part ? Je peux venir vous chercher vers 20 heures. Je serai en voiture. Mon frère m'a prêté sa Twingo pour une semaine.

– Avec plaisir ! Mais il faut que vous soyez sûr de vouloir passer la soirée avec une femme traumatisée et qui, en plus, est en pleine écriture d'un livre.

– Et qui, en plus, quoi qu'elle dise, est paniquée par le tueur de La Vieille Lune ! ajouta-t-il en riant. À propos, le suspect était innocent. Figurez-vous qu'à l'époque des trois premiers meurtres, ce pauvre diable habitait à Madagascar. Il n'a jamais quitté l'île jusqu'à ce qu'il s'installe à Paris l'an dernier. Ils sont si fatigués, les flics, qu'ils sont en train de faire n'importe quoi.

– Raison de plus pour accepter votre invitation ! Au moins, pendant le dîner, je serai protégée de ce fou.

– Je vois que vous n'avez vraiment plus peur. Tant mieux ! J'en suis heureux pour vous.

– Cela dit, si jamais vous avez des renseignements sur le tueur avant samedi, faites-moi signe. On ira prendre un café vite fait et vous me direz tout.

– Promis !

Quand j'ai raccroché, je me suis juré que samedi, je ne lui dirais pas que c'est mon anniversaire. À quoi bon l'encombrer d'une dette alors qu'on vient juste de se rencontrer ?

J'ignorais ce que mon esprit était en train de tramer avec Facchini, mais il y avait quelque chose qui ne me plaisait toujours pas. Ce n'était pas un homme pour moi, je le savais. Et cela n'avait rien à voir avec ce que Fabien m'avait dit sur lui. Je risquais de lui faire du mal. Et je n'arrivais pas à comprendre comment il ne s'en apercevait pas.

J'ai continué à travailler tout l'après-midi et vers 19 heures je suis allée à l'Action Christine pour voir *Le voleur de bicyclettes*. En sortant j'ai fait une crise de larmes. C'était normal, c'est le film le plus triste de l'Histoire. Je n'ai pas cessé de pleurer pendant tout le trajet jusque chez moi.

*

* *

Mardi, en début d'après-midi, Édouard est venu déménager les affaires de mon mari. Il a rempli quelques gros cartons et m'a promis de passer récupérer le reste en septembre. Je ne lui ai même pas proposé un café. Je ne voulais pas lui parler de peur d'apprendre quoi que ce soit à propos de mon mari. Je voulais qu'il soit mort. « Mort et enterré », me disais-je pendant qu'Édouard vidait les placards et les bibliothèques.

J'ai continué à écrire jusqu'à 20 heures et puis je suis allée dîner chez Francesca et Luigi. J'ai traversé le canal Saint-Martin alors qu'il faisait encore jour ; la chaleur était si accablante qu'elle frôlait l'indignité. Il y avait une dizaine d'invités. Les conversations étaient ennuyeuses et stupides. Francesca, qui était assise à côté de moi, m'a demandé si je partais toujours à Marseille le lundi suivant.

– Je n'en suis pas sûre, lui dis-je. Je vais me décider ce week-end.

– N'oublie pas que j'ai tes clés pour venir arroser les plantes. Si tu ne pars pas, je les déposerai dans ta boîte aux lettres.

– Je te dirai. Mais cela me rassure que tu gardes un double de mes clés.

– Tu es sûre que tu ne veux rien faire pour ton anniversaire ? L'idée que tu passes la soirée seule me chagrine.

– J'irai au cinéma, lui mentis-je.

Je ne voulais pas lui parler de mon dîner avec Facchini. Elle allait me poser des questions auxquelles je n'avais pas la moindre envie de répondre.

Vers 23 heures, alors que je m'apprêtais à partir, j'ai vu qu'il y avait deux messages de Facchini sur mon répondeur. Je n'arrivais pas très bien à entendre. Une fois dans la rue, je l'ai rappelé.

– Je voulais vous dire que le tueur de La Vieille Lune vient d'envoyer une nouvelle lettre à la police. Je l'ai vue.

– Et elle dit quoi, cette lettre ?

– Il annonce qu'il commettra un nouveau meurtre bientôt. Que ce sera le dernier.

– Et quoi d'autre ?

– Il reprend le vers de Baudelaire de la première lettre. Il dit : « Je la tuerai parce que vivre est un mal. C'est un secret de tous connu. »

– Il faut admettre qu'il ne fait pas preuve d'une grande imagination… Il se répète. Quelque chose doit clocher dans sa tête.

– Non, la répétition est un procédé courant dans l'art.

– Oui, mais pas comme ça. Non, il y a quelque chose qui ne va pas. Attendez que je vous téléphone dès que je rentre chez moi. Donnez-moi cinq minutes.

*
* *

J'ai traversé le canal à vive allure et j'ai emprunté la rue des Vinaigriers. Mon esprit ne cessait de bouillonner. Je me suis complètement abstraite de la ville et de l'été. Je ne voyais rien d'autre que les ondulations de ma pensée. Dès que je suis arrivée chez moi, je l'ai rappelé.

– Me revoilà, lui dis-je. Le tueur de La Vieille Lune sait qu'on a découvert ses rapports à Baudelaire, à l'art, à son ratage. Il sait qu'on l'a démasqué. Pas identifié, bien sûr. Mais il sait que quelqu'un l'a bien profilé. Voilà pourquoi il a annoncé, chose bizarre, qu'il allait commettre son dernier meurtre. Il sait qu'il sera capturé bientôt. Quand il écrit cette fois-ci « c'est un secret de tous connu », cela n'a pas le même sens que dans la première lettre. Mais vous m'entendez, Facchini ?

– Bien sûr, je suis là. Je vous écoute.

– Dans la première lettre, cette expression faisait allusion au fait que la vie est un mal. Alors qu'ici c'est de son profil dont il est question. Oui, le tueur se sent démasqué, c'est évident.

– Je ne vois pas ce que vous voulez dire… Essayez d'être plus claire !

– Il doit avoir des renseignements sur ce que la police sait à cause de quelqu'un qui travaille là-bas. On doit lui avoir dit ce qu'on savait…

– … Ce que vous avez découvert.

– Et que vous avez transmis à la police… C'est étonnant parce que ce n'était pas grand-chose. Est-ce que vous avez dit aux policiers que cela venait de moi ? demandai-je, morte d'anxiété.

– J'ai dit que c'était une amie qui est une grande intellectuelle. C'est tout. Mais j'ai beaucoup d'amies qui sont des intellectuelles. Il serait difficile de remonter jusqu'à vous. Même si le tueur était en contact avec l'un des policiers qui s'occupent de l'enquête – qui sont d'ailleurs une bonne douzaine – et s'il m'avait suivi, il lui serait impossible de savoir que c'était vous. On s'est très peu vus…

– Martin, vous êtes sûr que vous n'avez pas prononcé mon nom ? insistai-je.

– J'en suis sûr et certain. Dans une affaire de ce type, ce serait dangereux et je tiens à vous.

– Tant que je n'ai pas fini mon livre, je ne veux pas mourir, dis-je avec un rire angoissé.

– Vous voyez ! Je n'aurais pas dû vous parler de cette lettre. Imaginez que ce que vous dites soit vrai : pourquoi voudrait-il vous tuer, vous ?

– Pour plusieurs raisons. D'abord parce que je l'ai démasqué. Ensuite, parce qu'il doit vouloir être capturé pour assumer publiquement son œuvre criminelle. Pour ce faire, rien de mieux que de s'en prendre à une victime qui ne ressemble pas aux autres. Plus encore. Une victime qui représente dans une certaine mesure ce que le système intellectuel et artistique apprécie…

– Vous tirez un nombre incroyable de conclusions à partir de presque rien. Permettez-moi de vous le dire, vous êtes angoissée par tout ce qui s'est passé la semaine dernière avec votre mari. Il a voulu vous tuer. Vous êtes traumatisée. Sans m'en rendre compte, je vous ai donné une occasion en or pour nourrir votre anxiété.

Je n'ai rien répondu. La peur était en train de me paralyser.

– D'ailleurs, tant qu'à faire, je vais vous avouer quelque chose que j'ai fait qui n'est pas très chic mais qui peut vous rassurer. J'ai dit aux policiers que cette histoire de Baudelaire et les autres éléments de votre profilage venaient de moi… Je suis désolé, mais vous savez, cela me sert dans mes contacts avec eux. Si je n'établis pas des relations privilégiées avec la police, j'ai moins de tuyaux pour mes papiers.

– Je m'en fous que vous vous soyez attribué la paternité de ce profilage, Facchini ! Merci de m'avoir dit la vérité. Me voilà plus tranquille.

– Vous ne m'en voulez pas ?

– Je vous dis que je vous remercie.

Quand j'ai raccroché j'ai essayé de ne pas douter de Facchini. De me convaincre que jamais il n'avait évoqué mon nom devant les policiers chargés de l'enquête. Je voulais croire que je ne deviendrais pas la cible du tueur de La Vieille Lune. Et j'ai considéré le fait que Facchini se soit attribué le profilage que j'avais fait du tueur comme un péché véniel. « Cela n'a pas la moindre importance », me disais-je alors que je m'endormais. Et pour rien au monde je ne voulais imaginer qu'il répéterait ce comportement dans d'autres circonstances. Par une sorte de paresse ou pour des raisons qui demeurent opaques encore maintenant, j'avais décidé que Martin Facchini n'était pas une ordure.

XVII

Le lendemain, je me suis réveillée à 6 heures. Le temps était maussade et à la radio on annonçait de fortes pluies. Je me suis dit que c'était mieux pour ma journée de travail. Il ferait moins chaud et je n'aurais pas envie de sortir. J'ai pris un petit-déjeuner en continuant d'écouter la radio. J'ai été étonnée qu'il n'y ait pas la moindre information sur le tueur de La Vieille Lune alors que, d'après Facchini, on avait capturé et relâché un suspect.

Pendant que je prenais ma douche, j'ai été saisie par une idée noire. Et si Facchini m'avait menti ?

S'il ne savait pas tant de choses sur le tueur de La Vieille Lune ? Si ses contacts avec les policiers étaient beaucoup moins étroits qu'il ne le prétendait ? Si la lettre qu'il m'avait lue la veille, c'était lui qui l'avait inventée pour avoir une occasion de me téléphoner sans paraître trop lourd ? Bref, s'il me faisait marcher dans le seul but de me séduire, ou à d'autres fins ?

En sortant de la douche, j'ai chassé ces idées de mon esprit telles des mouches qui me harcelaient. Car je n'aurais pas pu accepter qu'il se comporte de la sorte. Je ne lui ferais plus confiance. Alors qu'il était indispensable que je croie en lui.

J'ai commencé à écrire un peu avant 7 heures. Mon premier chapitre avançait à merveille. J'étais très contente. Vers 10 h 30, je suis descendue chercher les journaux et le courrier. Quand j'ai ouvert la porte de mon immeuble, j'ai cru voir mon mari assis à la terrasse du café d'en face. Il était difficile d'en être certaine parce que le boulevard est très large et que ma vue de loin a toujours été désastreuse. Bien évidemment je n'ai pas cherché à traverser pour m'assurer que c'était lui.

Pendant que je prenais l'ascenseur, j'ai décidé qu'il était impossible qu'il soit là. Je me suis rappelé que quelques années plus tôt, j'avais perdu un de mes anciens professeurs qui était devenu mon ami et que, pendant quelques mois, j'avais eu le sentiment de le croiser dans la rue. Ces visions étaient liées au fait qu'il me manquait ou que je n'arrivais pas à accepter qu'il soit mort si brutalement. C'est dans ce sens que j'ai interprété ce que j'avais perçu de l'autre côté du boulevard : j'avais « vu » mon mari non parce qu'il était là, mais parce que j'étais en train de commencer à élaborer mon deuil. Une fois chez moi, je suis allée sur le balcon pour regarder à nouveau dans la direction du café. Mais cette fois-ci, la terrasse était vide.

Au lieu de me remettre à travailler, je suis allée m'asseoir dans le salon et je me suis livrée à une espèce de rêverie. Mon esprit a été envahi par des rafales de souvenirs d'avant la crise de notre mariage. Et puis des scènes épouvantables se sont mises à noircir ma mémoire, à commencer par celle de l'avant-dernière nuit.

Je me suis levée pour reprendre la rédaction de mon livre. Il ne fallait plus me laisser aller de cette manière, me suis-je dit, très directive. Je n'avais pas les moyens familiaux, sociaux ou psychologiques pour me permettre d'être démolie, il me fallait tenir coûte que coûte. La place que j'avais dans le monde, je ne la devais pas à une quelconque relation privilégiée, mais à ce que j'étais capable de faire dans ma vie professionnelle.

La sonnerie de mon téléphone portable a interrompu mes méditations. C'était encore Facchini.

– Vous n'imaginez pas comme je m'en veux de vous avoir parlé de cette lettre ! J'ai été indélicat et bête. Je n'ai pas pris garde au fait que vous soyez si fragile ces temps-ci. Il n'empêche que, grâce à vous, on sait que dans l'équipe qui s'occupe de cette enquête il y a une taupe qui s'ignore. Quelqu'un qui parle un peu trop.

– Si la police s'en donnait la peine, elle pourrait peut-être retrouver cet individu à qui il a parlé et éviter un nouveau meurtre.

– Voilà qui est impossible. Les flics ne vont jamais prendre au sérieux votre interprétation de la dernière lettre. Ils sont trop limités pour cela. Ils vont dire que c'est complètement tiré par les cheveux. Je les connais.

– Il est vrai que c'est un peu tiré par les cheveux…

– Mais l'œuvre criminelle du tueur de La Vieille Lune l'est aussi ! Toutes les découvertes fondamentales semblent au début tirées par les cheveux.

– Et vous Martin, vous n'avez jamais songé à être policier ?

– Pourquoi, vous me prenez pour un abruti ? Vous croyez que je suis nul ? demanda-t-il, hors de lui.

– Mais non, ce n'est pas ce que je voulais dire. Vous êtes un homme remarquablement intelligent, mentis-je pour le calmer. Si les gens comme vous étaient dans la police, les choses se passeraient beaucoup mieux…

– Vous n'avez qu'à y rentrer vous aussi ! répondit-il avec la même fureur.

– Mais c'est absurde de vous énerver. Excusez-moi, Martin.

– Je vous ai eue ! Je rigolais, s'exclama-t-il d'une voix fausse. D'ailleurs, je vais bientôt quitter la rubrique policière. Je vais faire la critique littéraire.

– J'ignorais que la littérature vous intéressait.

– Dire que la littérature m'intéresse me semble très faible. La littérature est ma vie. Mais vous ne me croyez capable d'écrire que sur des chiens écrasés. Parce que je n'ai pas fait d'études et que je suis né dans une banlieue pourrie et dans une famille inculte.

– Mais non ! l'interrompis-je. Qu'est-ce qui vous prend ? Je suis sûre que vous ferez des papiers extraordinaires ! Quand commencez-vous ?

– À la rentrée. Désolé de réagir ainsi. Mais j'ai dû me battre comme un fou pour passer à la rubrique littéraire. Et mes collègues ne m'ont pas aidé. Mais je vous laisse travailler. Nous parlerons de cela samedi. Et n'oubliez pas que je viendrai vous prendre en voiture en bas de chez vous à 20 heures. Je vous enverrai un texto dès que je serai arrivé. Je ne sais pas si j'aurai le temps de vous téléphoner d'ici là. J'ai plein de papiers à terminer.

*

* *

Quand j'ai raccroché j'ai senti qu'il y avait quelque chose de fort entre Facchini et moi. Loin de m'énerver, ses complexes et son sentiment d'infériorité me touchaient. Nous ne deviendrions jamais amants, me dis-je, mais nous serions amis.

Le soir, quand j'ai eu fini ma journée de travail, l'idée de Facchini est devenue plus forte. J'ai commencé à considérer la possibilité d'avoir une relation physique avec lui, même si c'était difficile.

Les circonstances pénibles de ma séparation et mes réflexions sur les tueurs en série m'avaient conduite à développer une sorte d'horreur du sexe. Mais je me disais aussi qu'avec Facchini, ce serait peut-être doux. Et si je réussissais grâce à lui à dépasser mes blocages, peut-être pourrais-je envisager une nouvelle relation avec quelqu'un d'autre. Sinon, qu'allais-je devenir ? Je n'avais ni famille ni enfants. Et les amitiés de l'âge adulte, à la différence de celles que l'on a pendant la première jeunesse, ne sont pas aussi fusionnelles. Je savais que si je ne me secouais pas un peu, j'allais grossir les rangs de la ténébreuse armée de célibataires dépressifs qui doutent de leur existence à force de n'être jamais caressés ou attendus. C'est cette armée de misérables qui accule la population à se mettre en couple, à obéir aux normes sociales, à faire comme tout le monde. J'étais consciente que j'avais un atout considérable – l'écriture – pour ne pas être victime de cet horrible chantage. Mais cette grotte magique ne me protégeait pas tout le temps. Les périodes pendant lesquelles je n'écrivais pas étaient terribles. Or sans ces pauses, cette activité était impossible. Il y a tant d'auteurs qui se suicident pendant ces périodes-là…

Ces calculs tristes m'ont poussée petit à petit à songer autrement à Facchini. Il n'y avait ni ferveur ni débordement du désir. Mais comme j'ai une fâcheuse tendance à penser que la volonté peut tout, pendant les trois jours qui se sont écoulés entre notre dernière conversation et notre rendez-vous du samedi 20 juillet, j'ai cru que j'étais amoureuse de lui. Oui, je l'ai cru et j'ai beaucoup de mal à comprendre maintenant comment cette illusion triviale a pu éclore dans mon esprit. C'est ainsi que le jeudi et le vendredi, au lieu d'écrire toute la journée comme les jours précédents, je suis allée m'acheter des vêtements et des produits de maquillage. Je suis allée chez le coiffeur et à l'institut Guerlain pour un « soin complet du visage ». Je ne cessais d'imaginer notre rencontre du samedi soir, comment allaient se passer notre premier baiser et aussi notre relation future. Parce que j'ai aussi pensé à cela. Pourrions-nous vivre chez moi ? Voilà qui me semblait absolument impossible. Tout au moins à long terme. Et comment lui dirais-je que je ne voulais pas d'enfant alors que lui n'en avait pas et en souhaitait peut-être ? Où irions-nous en vacances ? Quelles personnes allions-nous fréquenter ?

Loin de me détendre, ces rêveries m'ont rendue si anxieuse que le vendredi soir, il m'a fallu prendre un calmant pour m'endormir. Être normal exige tant d'efforts qu'il est naturel que les gens qui le sont regardent les marginaux, les minoritaires, les célibataires et les désaxés comme des paresseux.

XVIII

Le samedi 20, je me suis réveillée en me disant « tu as quarante ans », comme si j'avais un cancer terminal qui, loin de me chagriner, me remplissait de joie. La journée était belle à craquer. Le ciel et la ville rentraient par les fenêtres de mon appartement. Ils m'invitaient à sortir en faisant appel à toutes sortes de stratagèmes.

Après quelques cafés, je me suis habillée pour me rendre à nouveau à la gare du Nord. Je n'irais pas à Marseille, bien sûr que non. Et pas seulement parce que j'étais en train d'écrire un livre. Il était absurde de partir ainsi, sans but, alors que l'amour m'attendait, impatient, à Paris.

Il était 11 heures quand je suis arrivée à la gare. À cause des départs en vacances, il m'a fallu attendre au moins vingt minutes pour annuler mon billet et me faire rembourser. Pendant que je descendais le boulevard Magenta, j'ai averti l'hôtel où j'avais réservé que je ne viendrais pas. Je suis rentrée chez moi vers 12 h 30 et je me suis préparé une salade.

Vers 14 heures, j'étais devant mon ordinateur mais j'avais le plus grand mal à me concentrer. Au fur et à mesure que l'après-midi passait, j'ai pensé qu'aucun de mes amis ne m'avait téléphoné pour me souhaiter un bon anniversaire. J'ai mis cette attitude sur le compte de l'annonce de mon divorce. J'avais entendu dire que les gens vous fuient quand vous vous séparez, surtout quand le mariage a duré. Il n'empêche que cela me paraissait incompréhensible de la part de certaines personnes que j'avais vues ou eues au téléphone les jours précédents et qui s'étaient montrées très gentilles. Par ailleurs, je savais que les amis ne vous quittent pas aussi vite. Ils attendent que vous soyez au fond de votre déprime pour vous assener leur coup fatal. Pour vous faire comprendre qu'ils n'ont ni le temps ni l'énergie pour s'occuper de vos souffrances si jamais elles durent un peu trop longtemps. Pour vous rappeler qu'au temps où vous étiez en couple, vous alliez mieux. C'est parce que je savais tout cela que j'attendais Facchini comme un sauveur.

À 20 heures j'étais si anxieuse de le revoir que j'ai oublié que c'était mon anniversaire. Je ne cessais de me regarder dans la glace, de me remettre de rouge à lèvres, de me coiffer. Je devais être parfaite. C'était la seule chose qui comptait.

*
* *

– Je suis fou de vous. Fou d'une folie véritable, me dit-il à peine étais-je montée dans la Twingo verte de son frère.

Cette phrase que je n'avais pas entendue depuis si longtemps m'a semblé décisive. J'ai pensé que la mort seule aurait la force de me séparer de Facchini. Comme si j'avais voulu tordre le destin. Pourtant je savais que les desseins de ce dernier n'étaient pas aussi faciles à contrôler que ceux des caniches. Qu'ils sont intraitables, dressés pour mordre et pour tuer quand on cherche à les tromper. Je savais que le destin protégeait ses desseins comme un doberman son maître.

– Cette fois-ci, c'est au commissaire Martial en personne qu'il a adressé une lettre. À son domicile personnel, dit Martin d'un air grave.

D'abord je n'ai pas compris de quoi il me parlait. Bien sûr, du tueur de La Vieille Lune ! Je l'avais oublié. J'ai fait mine de m'y intéresser.

– Et que dit la lettre ?

– Je ne sais pas. On vient juste de m'avertir, il faut que j'aille voir mon informateur demain. Il semblerait que le commissaire soit mort de trouille pour sa femme et pour sa fille. Il veut qu'elles quittent Paris immédiatement.

– Je comprends. Pour son dernier meurtre, le tueur de La Vieille Lune va chercher une cible de poids, quelqu'un de significatif. Mais je ne crois pas que ce soit un membre de la famille du commissaire. À mon avis il s'en prendra plus facilement à Amélie Nothomb ou à quelqu'un de ce type pour qu'il y ait un grand tapage autour du meurtre et aussi pour mieux dénoncer le système littéraire. Voilà quelqu'un qui a du succès en écrivant des choses d'une piètre qualité alors que lui, personne ne s'y intéresse.

– C'est dommage que vous ne soyez pas profileuse, me dit Facchini en riant.

– Ce serait une véritable catastrophe ! Je ne cesserais de mettre la police sur de mauvaises pistes.

– Détrompez-vous ! Vous avez quelque chose, un nez ou un don peut-être, pour voir ce que les autres dédaignent. Il y a chez vous la folie des véritables découvreurs. Une espèce de finesse...

– Pas du tout ! Vous avez vu comment j'ai été aveugle à propos de mon mari. Je veux dire de ses infidélités... Et puis je l'ai pris pour le tueur de La Vieille Lune. C'était absurde. Sans vous j'aurais...

– C'est parce que vous ne vouliez pas savoir qu'il vous trompait, m'interrompit-il. Et puis vous l'avez su, mais vous auriez préféré de ne pas le savoir.

– Dès que nos désirs sont engagés, on a du mal à voir les choses telles qu'elles sont. On voit toujours à côté...

– Pas vous. Je vous l'assure. L'affaire de votre mari, vous l'auriez comprise toute seule au bout de quelques jours, j'en suis certain. Vous êtes têtue avec la vérité. Comme un chien avec un os. Voilà comment je vous vois.

Comme je ne répondais pas, car cette conversation ne m'intéressait pas le moins du monde, il reprit :

– Cela vous choque ?

– Pas du tout. Aujourd'hui c'est mon anniversaire. C'est pourquoi je suis un peu triste.

– Je le savais, mais je voulais vous faire la surprise quand nous serions au restaurant. J'ai regardé sur Wikipédia la bio qui vous est consacrée. Depuis jeudi de la semaine dernière, je l'ai lue un nombre de fois que vous ne pouvez pas imaginer… Vous êtes née le 20 juillet. D'ailleurs je ne comprends pas pourquoi cela vous attriste. Un anniversaire n'est pas seulement un an en plus, c'est aussi la célébration de l'existence d'un être. Et vous devriez être si fière d'exister…

– Vous allez me faire rougir…

– Et ce n'est pas une question de sexe. Je veux dire par là que ce n'est pas parce que vous êtes une femme que vous êtes si exceptionnelle. Des hommes doués d'une telle richesse d'esprit, il n'y en a pas beaucoup non plus. Vous êtes spéciale comme être humain tout court. Il est normal que cela trouble les autres. À commencer par moi.

– Je prends tous ces compliments comme un cadeau d'anniversaire ! Mais comment se fait-il que vous ayez commencé à écrire sur les faits divers ? Pourquoi ccla vous intéressait-il tant ?

– Puisque notre histoire est née sous le signe de Baudelaire, je vous réponds ceci : parce que j'aime les égouts du monde… le mal. Sauf que moi je ne cherche pas à en extraire la beauté…

– Et que lui voulez-vous ?

– Les êtres humains ne cessent de s'exploiter, de s'humilier, de se détruire de mille manières. Parfois je me dis que le monde n'est que cela : le royaume du mal. Alors qu'on n'arrête pas de nous raconter le contraire. Quand j'ai commencé à travailler sur les faits divers il y a une dizaine d'années, je voyais les choses autrement. Je croyais que les êtres humains étaient bons, que seule une petite partie était méchante. Tandis que maintenant je suis persuadée que la majorité est mauvaise et qu'une minorité seulement ne l'est pas. Mais aucune police n'est affectée à la défense de cette dernière. C'est pourtant la plus vulnérable. Pour tout vous dire, je vois maintenant les faits divers et les crimes comme des histoires de démons assassinés par d'autres démons et persécutés par un troisième groupe de démons : les policiers. Voilà pourquoi j'ai décidé d'arrêter.

– Dans un roman d'Agatha Christie, je crois que c'est dans *Je ne suis pas coupable*, la meurtrière dit quelque chose de ce genre au policier qui la capture, remarquai-je. Elle n'hésite pas à tuer car l'humanité est un ramassis de salopards. Et le policier lui répond que c'est une théorie d'assassin.

Facchini est devenu sombre.

– Mais vous n'êtes pas un assassin, repris-je avec délicatesse.

– J'ai horreur d'Agatha Christie, dit-il calmement. Ses romans sont formidables, certes. Mais elle s'est toujours fait des idées idiotes sur le crime. Elle était d'un moralisme dégoûtant. Ce n'est pas parce que les êtres humains sont dans leur grande majorité des salopards qu'il faut les exterminer. Bien au contraire. Il faut faire avec. Trouver le moyen, la forme d'organisation de la société la plus à même d'éviter qu'ils sortent le pire qui est en eux. Sans pour autant oublier qu'ils sont des démons. Ça, il ne faut jamais l'oublier.

Bien que consciente qu'il essayait de m'impressionner, je l'écoutais à peine. J'attendais qu'il éveille en moi des émotions moins intellectuelles. Nous traversions le Châtelet quand il m'a pris la main et l'a embrassée. La première barrière venait de tomber et cela m'a fait frissonner.

La soirée était si chaude et si lumineuse que mon cœur s'est mis à battre de bonheur. Mon existence venait de prendre un tournant. Du moins le croyais-je. Même s'il risquait une amende, Facchini a garé sa voiture rue Mazct, à quelques mètres du restaurant japonais. Quand nous sommes descendus il m'a embrassée sur la bouche. Il avait l'air ému et moi j'avais le sentiment d'être en train d'accomplir mes rêves de misérable midinette.

*
* *

Le repas était exquis mais au fur et à mesure que l'on conversait, et sans doute à cause des quantités de saké que nous buvions, je me suis mise à comparer cet homme à mon mari qui était si drôle, si spirituel et si amusant. Mon mari que j'avais encore dans la peau, dans l'esprit, dans le cœur.

Chez moi, le saké a d'abord un effet grisant. Puis rapidement il me permet d'entrer dans une zone d'extra-lucidité. Ou de m'en donner l'illusion. Car cette vision que j'ai eue au restaurant m'est venue des pénombres de l'enfer. Ma conscience s'est scindée en deux, comme si j'avais devant moi l'écran du présent et au-dessus celui de l'avenir. Cela me permettait de continuer à discuter presque normalement avec Facchini pendant que je visualisais ce qui allait se passer entre nous deux heures plus tard. J'étais plantée avec Martin devant mon immeuble. Au début je voyais cette scène avec un moi dédoublé comme si j'étais aussi bien l'actrice que la spectatrice d'un film. Puis je suis entrée dans le cerveau de celle que j'étais en train de regarder. Mon anxiété était au plus haut. J'avais une seule et unique idée en tête : trouver une bonne excuse pour que Facchini s'en aille vite de chez moi après que je lui aurais demandé de monter pour prendre un dernier verre, sans le blesser. Après tout, il n'était pas responsable de ne pas me plaire. Son silence me montrait qu'il était fâché, qu'il craignait qu'il n'y ait pas le moindre espoir entre nous. Je luttais contre un sentiment de culpabilité qui n'était pas normal, au fond. Cela faisait une dizaine de jours qu'on se fréquentait, et s'il m'avait sauvé la vie, c'était par hasard.

Je n'ai pas pu m'empêcher de penser que l'attirance envers quelqu'un est terriblement fragile. Il suffit d'un rien du tout pour que notre désir s'écroule. « C'est si injuste ! » me disais-je alors que je me rappelais les trois jours pendant lesquels j'avais imaginé qu'une histoire avec cet homme était possible. « Tous ces projets jetés à l'eau ! Quel gaspillage ! » me répétais-je tandis que Facchini me parlait de ses neveux « géniaux ».

Or au lieu d'accepter la nouvelle situation et de chercher à finir la soirée sans faire trop de mal à mon partenaire, j'ai décidé de continuer à boire du saké. J'ignore ce qui m'a poussée dans cette voie néfaste. Peut-être espérais-je que ce liquide miraculeux m'aiderait à faire en sorte que mon cœur se ravise et se mette dans les dispositions dans lesquelles il se trouvait à peine une heure plus tôt.

– Vous buvez trop, me dit-il gentiment.

– C'est mon anniversaire ! lui répondis-je avec un rire forcé.

Je crois que c'est à cet instant précis qu'il est allé aux toilettes. Dès qu'il s'est levé, je me suis assoupie. Or loin d'être aspirée par la noirceur, par le néant, j'ai fait un horrible rêve. Je montais avec lui dans mon appartement pour prendre un dernier verre. Dès que je fermais la porte il sortait un ruban rose et se mettait à m'étrangler. Et il me disait : « Bon anniversaire. » Je me suis réveillée apeurée tandis que Facchini regagnait notre table.

– J'ai l'impression que vous n'êtes pas dans votre état normal, me dit-il alors que la serveuse nous apportait l'addition.

– C'est le saké, lui répondis-je, apeurée.

– Vous me rassurez ! ironisa-t-il. Je croyais qu'avant même avoir commencé notre histoire, vous en aviez marre.

« Mais vous êtes fou Facchini ! » mentis-je pendant que mon cerveau s'est mis à toute vitesse à me montrer que j'étais en compagnie du tueur de La Vieille Lune. « Idiote que tu es ! » me dis-je, furieuse.

Tout, absolument tout, concordait. Si je n'avais pas cherché l'amour, j'aurais vu, j'aurais tout vu d'un coup. N'était-il pas un intellectuel raté ? N'avait-il pas le sentiment que le monde se trompait sur son compte ? N'était-il pas assoiffé de reconnaissance ? Ne trouvait-il pas, comme tant d'assassins, que le monde était peuplé de salopards ?

Pendant que nous nous levions pour sortir du restaurant, mes premières hypothèses à propos du tueur me sont revenues avec une netteté remarquable. Trois ans plus tôt, Facchini avait été quitté par une femme qui lui avait fait comprendre qu'il n'était pas à la hauteur. Pas d'argent, pas de notoriété, un raté. Et cela coïncidait avec le moment où le tueur de la pleine lune avait commencé sa carrière criminelle. Voilà l'événement stressant qui avait fait basculer Facchini dans l'horreur.

Une fois dans la rue, je suis arrivée à la conclusion qui s'imposait : ce serait moi sa dernière victime. Il devait être sûr que je ne tarderais pas à le démasquer. N'avais-je pas déjà fait la plus grande partie du profilage ? Et cette insistance à propos de mes talents d'enquêtrice !

J'étais dans la petite rue Mazet avec le tueur qui imaginait qu'il allait m'accompagner chez moi pour m'achever. Il fallait que je trouve tout de suite une excuse pour prendre un taxi et pour m'en aller si je ne voulais pas terminer la soirée dans les bras de la mort.

– Je vous raccompagne ? me demanda-t-il.

– Je préfère prendre l'air, lui dis-je pour gagner du temps. Marchons un peu.

Nous avons pris la rue Dauphine en direction de l'Odéon. Il était 22 heures et j'étais sûre que j'allais trouver un taxi sur le boulevard Saint-Germain. J'avais tellement peur que j'avais du mal à marcher et Facchini était carrément muet. Quand il a tenté de me prendre par la main, je l'ai gentiment repoussé.

– J'ai les mains collantes, lui dis-je avec un sourire dont je ne sais pas vraiment à quoi il ressemblait.

Mes pensées continuaient à galoper, à interpréter, à lire le passé en fonction de l'horrible découverte que je venais de faire. Je me suis souvenu du professeur australien et de sa théorie sur l'usage des rêves pour élucider les crimes. C'est peut-être pour cela que je m'étais endormie et sans doute aussi que j'avais bu autant de saké. Je m'étais donné les moyens pour apprendre la vérité afin de sauver ma peau. Puis une autre idée s'est imposée à moi. Facchini n'avait jamais eu le moindre désir pour moi, il n'avait pas cessé de faire semblant. Dès qu'il a entendu mes hypothèses sur le tueur de La Vieille Lune, il a commencé à me traquer, à me téléphoner, à feindre d'être amoureux afin de me supprimer au plus vite. Et moi, idiote que je suis, qui me sentais coupable de ne pas tenir à lui, de chercher à m'en débarrasser ! La furie que cette pensée a fait naître en moi s'est mêlée à la panique et mon cœur s'est mis à battre à toute allure. Quand nous sommes arrivés à Odéon, je me suis précipitée sur le premier taxi et j'ai ouvert la porte.

– Je vous quitte ici. J'ai besoin d'aller me coucher. Excusez-moi, mais le saké ne m'a pas réussi.

– Il n'est pas question que je vous laisse seule, répondit-il avec autorité en s'engouffrant dans la voiture.

Quand le taxi a démarré, la terreur que j'éprouvais m'avait complètement dégrisée. J'étais persuadée que seul un miracle pouvait empêcher que ce soir je finisse égorgée. Et si je lui échappais cette nuit, il me tuerait un autre jour. C'était si facile de se planter derrière ma porte, de me bousculer pour entrer chez moi et de m'assassiner avec le ruban rose. Aller me plaindre à la police ? Avais-je la moindre preuve que Facchini était le tueur en série que l'on recherchait ?

Lui tentait en vain de me parler, mais je faisais semblant d'être assoupie.

Quand le taxi s'est arrêté devant mon immeuble, il m'a pris le bras et est descendu avec moi. Je crois que c'est lui qui a donné un billet au chauffeur.

J'aurais pu crier pour alerter les passants, mais j'étais paralysée par la peur.

Une fois que nous sommes arrivés devant la porte cochère, contrairement à toute attente, il m'a lancé, sur un ton glacial :

– Ne dites rien, j'ai compris. Reposez-vous bien.

Il a attendu que je tape mon code et m'a tenu galamment la porte.

En traversant la cour de l'immeuble, j'étais tellement heureuse d'être en vie que j'ai regardé ma montre : il était 22 h 20. L'ascenseur était au rez-de-chaussée.

*

* *

Voilà mes derniers souvenirs d'avant la catastrophe. Car de tout ce qui s'est passé après, je m'en souviens comme d'un cauchemar terriblement embrouillé.

Je venais d'ouvrir la porte de mon appartement quand il est tombé sur moi, par-derrière, en muselant ma bouche d'une main de fer. J'ai juste eu le temps de penser : « Facchini m'a rattrapée. » La porte d'entrée s'est refermée tandis qu'il me jetait sur le fauteuil juste à côté.

Au moment où j'ai senti le ruban se resserrer sur mon cou, j'ai entendu la voix de mon mari me chuchoter à l'oreille d'une voix brûlante :

– Bon anniversaire.

J'étais persuadée que ces deux mots étaient les derniers que j'entendrais, quand soudain tout s'est allumé.

Une vingtaine de personnes sont apparues en provenance du salon. C'étaient mes amis et leurs conjoints qui m'avaient préparé une fête surprise pour mon anniversaire, à l'initiative de Francesca. Mon amie avait calculé que je serais rentrée du cinéma aux alentours de 22 heures. Quand ils ont vu ce qui était en train de se passer, aucun n'a réagi. Ils étaient terrorisés et ne pensaient qu'à une seule chose : s'en aller au plus vite. Ne jamais être venus. Mon mari aurait pu continuer à m'étrangler devant eux et personne n'aurait bougé – sauf en direction de la porte –, même s'ils étaient vingt-deux contre un. Et pourtant mon mari m'a lâchée. On l'avait découvert. C'est alors que Francesca a composé le numéro de la police.

*

* *

Le tueur de La Vieille Lune n'a pas tenté de fuir. Pendant que mes amis m'aidaient à me lever, il s'est assis sur l'un des canapés du salon. Il pleurait avec un tel désespoir que j'ai l'impression de m'être retenue pour ne pas éprouver de la pitié. Mais cette nuit a été si confuse que je ne peux pas en être sûre. Ce n'est que lorsque la police est arrivée que mon mari s'est arrêté de pleurer. Je crois me souvenir qu'il leur a dit bonsoir et qu'il leur a même souri.

Dès le départ de la police, Fabien a appelé un médecin pour qu'il me donne un calmant. On m'a dit que je tremblais comme une feuille et que je louchais. Or la manière dont mon ancien ami a géré ma détresse a été lamentable. Tantôt il avait l'air embarrassé par la façon dont il s'était comporté pendant que mon mari m'étranglait, tantôt il me considérait comme un chien qui aurait eu la rage. Quand le médecin est parti, Francesca m'a proposé de rester chez moi.

– Non, merci, lui ai-je répondu en faisant la vaillante. À quoi bon si le tueur de La Vieille Lune est enfin sous les verrous ?

Mais il semblerait que ce soient les dernières phrases sensées que j'aie prononcées avant plusieurs semaines. Aussitôt après, je me suis endormie. Quand je me suis réveillée, j'étais dans la chambre d'amis de Francesca. Le soleil rentrait à flots par les fenêtres.

XIX

La vérité, je l'ai apprise pendant les semaines où je suis restée alitée chez mon amie. Je l'ai découverte petit à petit, car la détresse dans laquelle j'avais sombré ne me laissait pas plus d'une ou deux heures par jour de vraie lucidité. Le reste du temps j'avais peur, et sans les calmants et les attentions constantes de Francesca, je me serais sans doute suicidée.

Elle a commencé par me raconter le piège dans lequel Facchini était tombé contre son gré – ou plus ou moins contre son gré. Certes, elle aurait pu commencer son récit par le meurtre de Jennifer Rodriguez ou par la série d'assassinats qui l'avaient précédé. Mais je crois que c'est dans cet ordre que Francesca a appris les choses. Car le premier à parler a été Facchini. C'est un peu plus tard que la police a eu accès au contenu du disque dur de l'ordinateur de mon mari ainsi qu'aux lettres qu'il avait écrites à sa mère pendant sa détention, alors qu'il refusait de faire le moindre aveu. Mais moi, je n'aime pas raconter les histoires n'importe comment. Il faut donc commencer par le meurtre de Jennifer Rodriguez.

La jeune femme a été supprimée parce qu'elle avait découvert que son amant était le tueur de La Vieille Lune. Comment ? Par hasard, ce hasard qui vient parfois compromettre les plans les plus astucieux. Le 29 juin en début d'après-midi, elle est allée rendre visite à sa vieille tante de quatre-vingt-dix-huit ans, la seule famille qui lui restait. En sortant du métro Glacière, elle a vu mon mari. Comme elle était très jalouse, au lieu de lui faire signe, elle a préféré le suivre. Elle l'a vu entrer dans l'une des tours qui se trouvent en face du métro et elle l'a attendu. Vingt minutes plus tard, elle l'a vu sortir et se comporter d'une manière étrange. Il avait dissimulé son visage avec une écharpe et il marchait à vive allure vers le métro. En fin d'après-midi elle a téléphoné à son amant pour l'interroger, sans imaginer les risques qu'elle courait. Car mon mari a compris qu'une fois l'information sur le meurtre diffusée, la jeune femme finirait tôt ou tard par faire le rapprochement. Même s'il a nié et s'il a inventé un mensonge pour expliquer sa présence dans les parages, il a aussitôt décidé de la supprimer. Le meurtre aurait lieu le lendemain. Il fallait qu'il ressemble aux autres pour que mon mari ait une chance de ne pas être pris.

Le jour de l'assassinat de Jennifer, il s'est rendu en début d'après-midi dans une boîte échangiste située à Montparnasse. Il a récupéré un préservatif usagé et il est allé chez sa maîtresse. Après l'avoir étranglée, il a introduit le sperme contenu dans le préservatif dans le vagin de la jeune femme. Puis il a laissé son propre sperme sur la scène de crime, comme il l'avait fait avec les quatre autres meurtres. Il prenait un risque, certes, car la police aurait pu lui demander un échantillon d'ADN. Mais ce risque était moindre que s'il laissait sa copine en vie ou s'il la tuait sans essayer de faire croire que c'était le cinquième assassinat du tueur de La Vieille Lune. Et la police est bel et bien tombée dans le panneau. Comme aucune des victimes précédentes n'avait le moindre lien personnel avec le tueur de La Vieille Lune et que le mode opératoire et la signature étaient identiques aux autres assassinats, la police s'est fait avoir. Elle a cru que mon mari était l'amant et non le tueur. Pourtant, alors que tout cela s'était si bien arrangé, il a commis l'erreur de laisser une photo de Jennifer sur son bureau. Une photo qui n'avait pas la moindre fonction comme objet masturbatoire *post mortem*. Il l'avait mise là depuis des mois sans se soucier de la ranger. De toute manière moi, je ne regardais ni ne contrôlais rien. Sauf que j'ai vu la photo. Il fallait dorénavant gérer la folle qu'il avait pour épouse. Or il a compris très vite que mon trouble, loin de lui poser des problèmes, allait lui servir pour la suite de son plan. Car cette fois-ci, le hasard s'était mis de son côté.

Mon mari, comme moi, avait rencontré Facchini chez Fabien. Ils s'étaient à peine parlé. Or quelques mois avant le meurtre de Jennifer, Facchini était allé déjeuner seul dans un restaurant indien de la rue Gay-Lussac. L'endroit était plein mais il a cru reconnaître mon mari assis à une table un peu à l'écart avec une jeune femme.

Ils ne cessaient de s'embrasser. C'était Jennifer Rodriguez. Pour l'embarrasser, Facchini s'est approché de leur table et a salué mon mari. Il a trouvé cela drôle. Facchini ne m'aimait pas, Fabien avait raison. Cet adultère le mettait en joie. Presque autant que le fait d'imaginer que, avec ce qu'il savait, il allait exercer un petit pouvoir sur mon mari dont il enviait bien sûr les diplômes et l'origine sociale.

Depuis cette rencontre, les deux hommes se voyaient de temps à autre. Tandis que mon mari voulait s'assurer que Facchini n'allait pas colporter sa liaison avec Jennifer, celui-ci jouissait de cette peur et ne cessait de lui lancer des petites piques pour l'énerver.

Lorsque j'ai téléphoné à Martin pour lui faire part de mes soupçons, il a tout de suite averti mon mari, qui l'a prié de me donner la version que j'ai entendue le soir où il est venu me raconter la « vérité ». Je veux dire les adultères, bien entendu. Mon mari a prétendu qu'il valait mieux que ce soit quelqu'un d'autre qui me mette au courant.

En somme, Facchini n'avait jamais interrogé la police à propos de mon mari ni ne lui avait soufflé le moindre mot sur mes hypothèses à propos du tueur de La Vieille Lune. Et la police ne lui avait jamais montré les lettres. C'est lui qui avait inventé de toutes pièces aussi bien celle dont il m'avait parlé au téléphone que la dernière que le tueur de La Vieille Lune aurait adressée au commissaire Martial. Que cherchait-il au juste ? Sans doute un prétexte pour me parler et pour faire l'intéressant devant moi. Mais aussi pour m'effrayer. Selon Francesca, son plan était de me séduire et de m'abandonner d'une manière humiliante. Mais cette hypothèse est complètement invérifiable. Quoi qu'il en soit, il semble évident que Facchini avait trouvé en ma personne une occasion de se venger de tous ceux qui réussissaient leur vie intellectuelle « injustement ».

Mon mari a compris son double jeu le soir où il a cru nous surprendre dans mon appartement. Ils se sont battus pour de vrai, ce soir-là. Or deux jours plus tard, Facchini lui a téléphoné pour se réconcilier. Mon mari a fait l'idiot car il savait que grâce à lui il pourrait continuer à avoir des informations sur moi. Et de fait, c'est en conversant avec Facchini qu'il a appris que celui-ci dînerait avec moi le jour de mon anniversaire. Facchini devait croire que rien n'embêterait davantage mon mari que ce tête-à-tête amoureux. Grâce à cette information, le tueur de La Vieille Lune m'a attendue dans le bar d'en face en pariant que mon faux soupirant ne monterait pas après le dîner. Ce n'était pas sûr, certes. Mais il a essayé.

*

* *

Mon meurtre, il l'avait décidé juste après celui de Jennifer. Cela explique sa fausse tentative d'assassinat – car il m'avait montré de cette manière qu'il était un impulsif et qu'il n'avait rien à voir avec un tueur en série méthodique. N'est-ce pas la conclusion que j'avais moi-même tirée de cette violence subite ? Et d'après ce qu'il a expliqué dans l'une des lettres adressées à sa mère, même si Facchini n'était pas revenu récupérer son téléphone portable, il se serait arrêté tout seul de me menacer avec son couteau. Il en a été de même avec sa tentative de me faire enfermer dans un hôpital psychiatrique. Il voulait se montrer comme quelqu'un de maladroit, voire coléreux, mais pas comme un tueur organisé.

Son projet de m'assassiner explique aussi le meurtre de Louise Turin, la jeune fille de dix-sept ans de l'immeuble d'à côté. Il l'avait choisie pendant qu'il rôdait dans le quartier pour m'espionner. Il voulait qu'on croie que le tueur de

La Vieille Lune s'était mis en tête d'assassiner des femmes dans le voisinage alors que lui n'y vivait plus. Que le malade que l'on recherchait depuis trois ans avait commencé à sélectionner ses proies à partir de critères nouveaux. Ce n'étaient plus des jeunes filles blondes et pauvres, mais des femmes d'âge et de condition différentes qui habitaient dans le même périmètre de Paris. Certes, mon mari savait qu'il courait de grands risques. Mais n'est-ce pas le lot de tous les tueurs ? Surtout qu'il pensait que mon assassinat serait le dernier. Et ce, non pas pour aboutir son œuvre criminelle ! Ses anciens désirs d'être découvert, lui et son génie, avaient cédé la place à d'autres, beaucoup plus prosaïques. Voilà la dernière défaite du malheureux et sans doute la plus amère de sa courte vie.

D'après l'une de ses lettres à sa mère, les choses se seraient passées plus ou moins ainsi. Lorsqu'il a appris que Jennifer l'avait démasqué, il a paniqué. Il a compris que les idées romanesques qui l'avaient poussé à devenir un criminel en série – et notamment son désir d'être pris pour assumer son œuvre aux yeux du monde – étaient absurdes. Qu'il voulait plus que tout au monde jouir de sa liberté. Pour ce faire, il devait s'installer dans un pays dans lequel la police française ne pourrait jamais le retrouver – si jamais cette dernière se mettait à le soupçonner. Et cela, à ses yeux, finirait tôt ou tard par arriver.

Or pour s'enfuir, il lui fallait de l'argent. Il était donc nécessaire que je meure afin qu'il hérite de mon appartement et de mon compte en banque. En bref, il n'a pas voulu me tuer parce que moi j'écrivais et pas lui – ça, c'était le prétexte pour sa fausse tentative de meurtre – mais pour l'argent. Pour sa liberté.

Le soir où il avait prévu de m'étrangler avec le ruban rose, il s'était fabriqué un alibi en béton. Depuis notre séparation, il habitait chez Édouard dans une petite maison de la Cité des Fleurs, dans le 17e arrondissement. Vers 19 heures, il s'est enfermé dans sa chambre en prétextant une forte migraine. Alors que son ami le croyait endormi, il s'est échappé par la fenêtre. Si Francesca n'avait pas préparé l'anniversaire surprise, mon mari aurait réussi son coup. À l'heure qu'il est, je serais morte, et lui serait en train de bronzer sur une île lointaine.

Mais qu'est-ce qui s'était passé auparavant ? Comment s'était mise en place sa période de tueur baudelairien ? Selon ce qu'il a laissé entendre dans ses lettres, l'événement stressant qui l'a fait basculer dans le crime a été la « trahison » d'Alexandra. Elle l'avait quitté le jour même où il avait appris que pour la troisième fois il n'allait pas être recruté par l'université. Un mois plus tard il a commis son premier double meurtre dans le restaurant de la gare de Lyon : La Vieille Lune. D'après ce que la police a trouvé dans son ordinateur, cette période aurait été la plus belle de sa vie. Il a cru qu'il était devenu un grand artiste, un être fou, génial et désintéressé, prêt à montrer au monde ce dont il était capable pour produire de la beauté.

En somme, si mon mari avait commencé son œuvre criminelle comme un tueur en série, à partir du meurtre de Jennifer, il l'avait continuée comme un criminel ordinaire. Cette trajectoire lui ressemblait si bien ! Alors qu'il croyait qu'il était un criminel gratuit, un artiste du mal prêt donc à se laisser prendre pour faire valoir son art sublime, il était devenu en cours de route un tueur intéressé. Un rat qui s'était pris pour une panthère ou un aigle. Un rat prétentieux. C'est pourquoi il s'est pendu quatorze jours après avoir été arrêté par la police. C'était la seule façon d'échapper à cet ultime échec.

*

* *

Facchini a essayé de me voir à plusieurs reprises pour s'excuser pendant que j'étais chez Francesca, et même après. Mais j'ai toujours refusé de lui parler. Et comme mon mari s'est suicidé alors que l'enquête ne faisait que commencer et que j'étais alitée chez une amie, j'ai eu la chance de ne jamais avoir affaire à la police.

Depuis que j'ai quitté l'appartement de Francesca – et cela fait longtemps –, je nourris l'armée malheureuse des célibataires déprimés qui peuplent Paris. Non que les opportunités de vivre des histoires d'amour m'aient manqué. Je sais qu'il vaut mieux que je reste seule. On me dit qu'une bonne psychothérapie pourrait m'aider à redevenir « normale ». Mais jamais je ne me prêterai à un tel exercice. Je sais d'avance que dans mon cas, il serait inutile. L'expérience m'a appris que rien n'agace plus un homme qu'une femme qui écrit.

Composition : Compo Méca Publishing
64990 Mouguerre

Imprimé au Canada
Dépôt légal : Janvier 2016
ISBN : 978-2-7499-2754-1
LAF : 2215